ОЩЕ РОМАНИ ОТ ДЕЙВИД УОЛЯМС:

Бабата бандит
Момчето с роклята
Г-н Смръдльо
Момчето милиардер
Плъхбургер
Зъбар злобар
Лютата лелка
Голямото бягство на дядо
Среднощната тайфа
Лош татко
Леденото чудовище
НЯЩУ

Най-лошите деца на света
Най-лошите деца на света 2
Най-лошите деца на света 3

А СЪЩО И:

Мечето, което викаше БАУ!
Първият хипопотам на Луната
The Slightly Annoying Elephant
The Queen's Orang-utan
There's a Snake in My School!
Boogie Bear
Geronimo

Дейвид Уолямс

НАЙ-ЛОШИТЕ УЧИТЕЛИ НА СВЕТА

Илюстрирации
в богатата палитра на
Тони Рос

ДУО ДИЗАЙН

НАЙ-ЛОШИТЕ УЧИТЕЛИ НА СВЕТА
Автор: Дейвид Уолямс • Илюстратор: Тони Рос
ISBN: 978-619-7560-22-0 • © Дуо Дизайн ООД
www.duo-design.com • ask@duo-design.com
КОЛЕКТИВ НА ДУО ДИЗАЙН:
Михаил Балабанов - преводач • Виолета Величкова - стилов редактор
Ани Владева - коректор • Дуо Дизайн - предпечат

Originally published by HarperCollins Publishers under the title: THE WORLD'S WORST TEACHERS

НАЙ-
ЛОШИТЕ
УЧИТЕЛИ
НА СВЕТА

Скъпи читателю,

Вече има три прекрасни книги за най-лошите деца на Земята: ***Най-лошите деца на света***, после доста оригинално озаглавената ***Най-лошите деца на света 2***, неизбежно последвана от ***Най-лошите деца на света 3***.

Тези книги разказват куп истории за някои наистина ОТВРАТИТЕЛНИ деца: без съмнение най-лошите сред най-големите лошотии, черешката на купчината тор. Груби, лакоми, мърляви, суетни, подмолни, капризни, мързеливи, деспотични, самохвалковци и разбира се, най-ужасяващото – пръцкащи.

Сега е време децата по света да си го ВЪРНАТ и да изтрият завинаги самодоволните усмивки от лицата на възрастните.

Нещата се обърнаха.

Запознайте се с ***Най-лошите учители на света***. Десет истории за учители, пред които и най-лошите деца на света изглеждат кротки като агънца. Това е НАЙ-ОТВРАТИТЕЛНАТА сбирщина възрастни на Земята. Тези учители са най-лошият кошмар на всяко дете.

И така, четете нататък, ако смеете.

David Walliams

УЧИЛИЩЕН БЕЛЕЖНИК

Искам да благодаря на следните хора, че не правиха абсолютно нищо:

Предмет	Забележка	Оценка
Ан-Жанин Мърта *Издател*	Ан-Жанин смята, че работата пречи на нейните разговори.	2
Тони Рос *Моят илюстратор*	Драска си по цял ден. Тони трябва да се стегне и да поработи истински.	2
Пол Стивънс *Моят агент*	На Пол му пасва ролята на един чудесен идиот.	2-
Чарли Редмейн *Изпълнителен директор*	СТРАДА ОТ СТРАННАТА ЗАБЛУДА, ЧЕ Е НАЧАЛНИК. СЕРИОЗНО СЕ НУЖДАЕ ОТ ПОМОЩ.	2
Алис Блекър *Моят редактор*	Алис си е свалила летвата изключително много и пак не успява да я надскочи.	2
Кейт Бърнс *Директор продукция*	КЕЙТ Е ДОСТИГНАЛА ДЪНОТО И Е ЗАПОЧНАЛА ДА КОПАЕ.	2
Саманта Стюарт *Главен редактор*	Колелото може още да се върти, но хамстерът е умрял.	2
Вал Братуейт *Творчески директор*	Яде учебниците.	2-

Предмет	Забележка	Оценка
Дейвид Макдугъл *Художествен директор*	Спи на чина си. Оставя локвички слюнка по пода.	2
Сали Грифин *Дизайнер*	Сали много се интересува от околната среда. Цял ден блее през прозореца.	2
Матю Кели *Дизайнер*	Матю притежава умението за съсредоточаване на попова лъжичка.	2-
Елърин Грант *Заместник художествен директор*	Много е приятно, когато отсъства. Което значи постоянно.	2
Кейт Кларк *Дизайнер*	В клас от тридесет ученици Кейт е на тридесет и първо място.	2
Таня Хафъм *Моят аудиоредактор*	ТАНЯ МОЖЕ ДА СТИГНЕ ДАЛЕЧ. КОЛКОТО ПО-ДАЛЕЧ, ТОЛКОВА ПО-ДОБРЕ.	2
Джералдин Страуд *Моят маркетинг директор*	Шестици от горе до долу. Ама че зубрачка.	6+

David Walliams

ОТ КАБИНЕТА НА

ДИРЕКТОРА

Уважаеми г-не/г-жо,

Пиша ви в отговор на скоро постъпилата ви молба да подготвя предговор за новото издание на **г-н Дейвид Уолямс,** ***Най-лошите учители на света.***

Прави сте – наистина бях директор на г-н Уолямс, докато учеше в **„Кърдъл“: училището за изключително неприятни деца.** Уолямс, както беше известен още в онези времена, бе едно от най-отблъскващите момчета, на които съм имала нещастието да преподавам. Държеше се грубо, шумно и изключително дразнещо. Това явно не се е променило. Не проявяваше никаква артистична или писателска дарба. Тук също очевидно няма напредък.

Още десетгодишен, г-н Уолямс беше дундест и чупеше всеки стол, на който седнеше. Но най-яркият ми спомен за него е миризмата му. Буквално вонеше на гранясало.

Накъдето и да се заклатушкаше, момчето Уолямс оставяше видима следа от смрад. Големият облак в зелено, жълто и кафяво миришеше по-лошо, отколкото изглеждаше, а изглеждаше наистина отвратително.

Ужасена съм, макар и не изненадана, че г-н Уолямс се осмелява да напише книга със заглавие ***Най-лошите учители на света.*** Може би трябва да обмисли написването на ***Най-лошият УЧЕНИК на света?*** Защото беше точно такъв. Разбира се, при положение че г-н Уолямс изобщо пише собствените си книги, в което, след като прегледах отново бележника му, силно се съмнявам.

Учителката му по английски, г-ца Кряс, го е описала така: „Уолямс притежава сладкодумието на речен камък. Правописът и граматиката му са безобразни, а почеркът му е толкова грозен, че се чудех дали историята му за момиче, което отива на училище, преоблечено като момче, или някаква подобна глупост, не е всъщност на някой извънземен език."

В същото време учителят му по история, г-н Сага, го нарича: „Може би най-глупавото дете, което се е раждало. Вчера вдигна ръка и ми заяви, че има само една световна война и тя е Втората световна война."

Г-н Проводник, учител по човекът и природата, е написал: „Разбирането му за строежа на човешкото тяло е нулево. Напълно естествено за момче, което говори само със задника си."

Учителката по френски, г-ца Дежавю, коментира: „Това дебилно хлапе се интересува само от една-единствена френска дума, тази за шоколад. Както всички знаем, на френски език тя се произнася *„шокольà"*, а не *„чоколейт"*.

Като директор аз съм обобщила обучението му в „Кърдъл" в последната му училищна характеристика, както следва: „Уолямс е най-лошият сред лошите. Въпреки че се провали на всички изпити до един, не искам никога, никога повече да го виждам в училището си. Ако този шут прекрачи отново прага на училищния двор, ще има бунт. Бунт на учителите, предвождан лично от мен, и ако трябва, ще сринем училището до основи."

Направо ще се пръсна от яд от самата мисъл за г-н Уолямс. И така, в отговор на въпроса ви дали бих желала да напиша предговор към ***Най-лошите учители на света,*** ви заявявам най-отговорно: по-скоро бих изяла собствения си крак. А аз съм вегетарианка.

Моля ви, никога повече не ме безпокойте, в противен случай ще се оплача в полицията. Ако и това не помогне – в армията.

Вбесено ваша,

г-ца Злоб,

Директор на училище „Кърдъл"

СЪДЪРЖАНИЕ

Г-Н ЗАПРЯН
и топките стр.15

Г-Н и Г-ЖА ЦУНИ-ГУНИ
и морето от сълзи стр.45

Г-ЦА ШИП
и триколката на ужаса стр.75

Г-ЦА СУЕТНА,
живото произведение
на изкуството стр.103

Д-Р УЖАС
и креслото на хилядата пръдни стр.129

Г-ЦА ЯД, наказания наред стр.161
НЕВЕРОЯТНИЯТ Г-Н БАЛОН стр.215
Драматичните драми на Г-ЦА ДЪРА-БЪРА стр.191
Г-ЖА ПЛЬОК и салонът на ужасите стр.247
Страхът на Г-Н ФОБ стр.281

Г-Н ЗАПРЯН
и топките
ТОПКИ
ТОПКИ
ТОПКИ
УЧИЛИЩЕ „СВ. СФЕРА“
МАТЕМАТИКА

Г-Н ЗАПРЯН и топките

Имаше едно време, което е равно на пътя върху скоростта, един учител по математика на име г-н Запрян. Той изглеждаше съвсем типично със своите очила с телени рамки, кафяв костюм и коса, сресана върху плешивото теме. Ала г-н Запрян беше всичко друго, но *не* и обикновен учител по математика.

О, не, той бе един от най-лошите учители на света. Всеки негов миг бе изпълнен с мрачната му фобия.

Топки.

Той ги мразеше от дъното на душата си.

Но откъде идваше странната му ненавист към **сферичните** предмети?

Нашият разказ започва, когато г-н Запрян беше още дете. Лесно е да се забрави, че дори учителите някога са били деца, но в повечето случаи е така.

На някои бебета веднага им личи, че са родени за учители, защото идват на бял свят с неодобрително намръщени учителски физиономии:

Щом го сложиха в креватчето, бебето Запрян веднага започна да брои мънистата над главата си. Скоро вече изписваше сложни математически УРАВНЕНИЯ по стената с буквичките от супата. Когато, току-що проходил, Запрян започна да дава на родителите си домашни по алгебра, те осъзнаха, че момченцето им е предопределено за учител по математика.

Един ден, когато младият г-н Запрян беше само на десет* години, претърпя ужасна злополука.

Удариха го по главата с топка.

Не каква да е топка.

* Това е 2 x 5, 7 + 3, 20 – 10 или 50 : 5.

ТОПКА ЗА РАЗРУШАВАНЕ.

Това сигурно са най-големите и **най-тежките** от всички видове топки. В края на краищата, направени са от стомана и ги залюляват с кран, за да съборят сгради.

БИФ! БАФ! БУФ!

Не би трябвало да ви изненада, че като дете, чиято съдба е да стане учител по математика, младият г-н Запрян нямаше време за игри, закачки или каквото и да е, което може да се сметне за забавно. Не, влюбеното в математиката хлапе запълваше дните си с таблици за умножение, прости числа, дроби, квадратни уравнения, тригонометрия и (съвършено ужасяващото за нас, нормалните хора) деление на многоцифрени числа*.

През един дъждовен следобед младият г-н Запрян се прибираше от училищния си клуб по математика. Това беше най-скучният клуб за извънкласна дейност на света.

* В някои страни алгоритъмът за деление се прилага за изтезание. „НЕ! НЕ! САМО ТОВА НЕ! НЕ И ДЕЛЕНИЕ НА МНОГОЦИФРЕНИ ЧИСЛА! ПРИЗНАВАМ ВСИЧКО!“

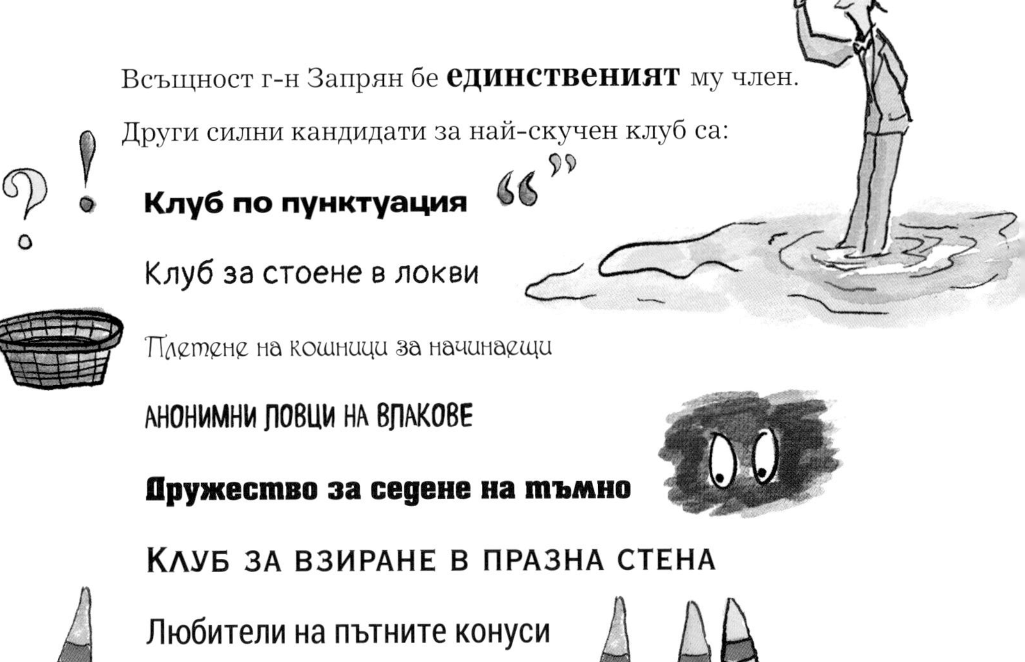

Всъщност г-н Запрян бе **единственият** му член.

Други силни кандидати за най-скучен клуб са:

Клуб по пунктуация

Клуб за стоене в локви

Плетене на кошници за начинаещи

АНОНИМНИ ЛОВЦИ НА ВЛАКОВЕ

Дружество за седене на тъмно

КЛУБ ЗА ВЗИРАНЕ В ПРАЗНА СТЕНА

Любители на пътните конуси

ЛАТИНСКИ! ЛАТИНСКИ!

В клуба по математика младият г-н Запрян тъкмо бе учил всичко за числото пи, известно още като π, или 3.14. Пи е още по-скучно, отколкото звучи, а то звучи катастрофално скучно. Представлява математическа константа, съотношението между обиколката на кръга и диаметъра му.*

Заспахте ли вече?

– ХЪРР! ХЪРР! ХЪР! ХЪРР!

Ако да, лека нощ.

Ако не, четете нататък…

* Признавам, че ми се наложи да потърся това в енциклопедията, понеже в часовете по математика през цялото време си фантазирах за торти.

Г-Н ЗАПРЯН И ТОПКИТЕ

Когато младият г-н Запрян зърна **огромна** стоманена топка, той нямаше търпение да изпробва цялата тази глупост с обиколката и диаметъра. Докато ровеше в несесера си за линийка, не забеляза, че въпросната огромна стоманена топка всъщност се носи бързо право към него.

ФФФШШШ!

Тя трябваше да разруши стария жилищен блок, до който стоеше момчето. Вместо това удари самото момче. По главата. Силно.

Много силно.

ДРЪНН!

Младият г-н Запрян загуби съзнание. И добре че стана така, понеже топката го метна във въздуха.

ФИИУУ!

3,14 мили

Той прелетя (интересен факт) точно **3,14** мили, а после проби покрива на бараката в един заден двор.

ДУФФ!

ПРАСС!

ХХРУСС!

Младият г-н Запрян се събуди чак след една седмица. Тогава осъзна, че е в болница с превързана глава, която го боли невероятно.

– ААУУ! – изхленчи той. – Боли ме главата.

На момчето му се наложи да ходи превързано цели шест месеца и изглеждаше, сякаш има памперс на главата.

– ХА-ХА! МОМЧЕТО С ПАМПЕРСА! – смееха се другите деца.

– ХЪМММ! – пухтеше той.

От съдбоносния ден на злополуката нататък Запрян намрази всички видове **ТОПКИ.** Само при гледката на нещо обло в ума му веднага изникваха ужасните спомени за грамадното стоманено кълбо.

БААММ!

И така, когато порасна и стана учител по математика, г-н Запрян бе поразен от факта, че в 

, където преподаваше, беше пълно с топки, топки и още топки и всяка от тях му напомняше за най-лошия ден в живота му.

Тук топки. Там топки. Навсякъде топки. На игрището от всички посоки към него подскачаха топки за футбол, тенис и даже пинг-понг.

СКОК! СКОК! СКОК!

Щом зърнеше някоя, очите му направо изскачаха от орбитите си, лицето му почервеняваше, очилата му се запотяваха, а зализаната на темето коса се изправяше.

– ТОПКИ! – разкрещяваше се г-н Запрян с пяна на устата.

Омразата на учителя беше толкова голяма, че той закачи табели из цялото **училище** **Св. Сфера**. На всяка стена, врата и прозорец.

Даже на задните части на готвачката в стола.

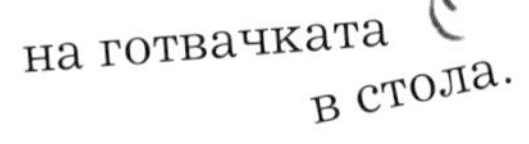

* Последното правило бе трудно за налагане, въпреки че, като истински учител по математика, той провери с линийка и пергел точно каква част от картата включва радиусът от 100 мили.

Г-н Запрян конфискуваше **ВСИЧКИ** топки на момента. После ги заключваше в специалния си шкаф за топки в края на дълъг коридор до класната му стая. Табелата гласеше:

С годините г-н Запрян натъпка там стотици и стотици топки с всякакъв размер и вече почти нямаше място за повече.

Ако някой ученик се осмелеше да го попита:

– Извинете, може ли да ми върнете топката, господине? – учителят се подсмихваше под мустак, а после отвръщаше:

– Разбира се, дете!

– Благодаря ви, господине.

– Само един момент, ако обичаш.

После бръкваше в шкафа за топката и я спукваше с пергела, който криеше в ръката си.

ПУФФ!

Въздухът заструяваше навън като мързелива пръдня*.

* Една от онези пръдни, които не бързат да излязат. Тя се точи секунди, минути, часове, дни, седмици, месеци и дори, в изключителни случаи, години. Трудно е да я припишеш на друг. Късите и внезапни съдържат елемент на изненада и един злобен поглед към някого от стоящите наблизо е достатъчен, за да отклони подозренията. Близък приятел ми сподели това.

– Заповядай! – казваше г-н Запрян, докато подаваше с широка усмивка сплесканата топка на детето.

След като най-сетне конфискува и последната топка от всяко дете в училището, г-н Запрян продължи по-нататък. Той включи в забранения си списък всичко **сферично.** Учителят се разхождаше из коридорите и изземваше всичко закръглено.

Топчета за игра.

– ТОПКИ! ДАЙ ГИ ТУК!

Надуваема топка за подскачане под седнал на нея ученик.

С К О К !

– ТОПКИ! ТОВА СЕ КОНФИСКУВА!

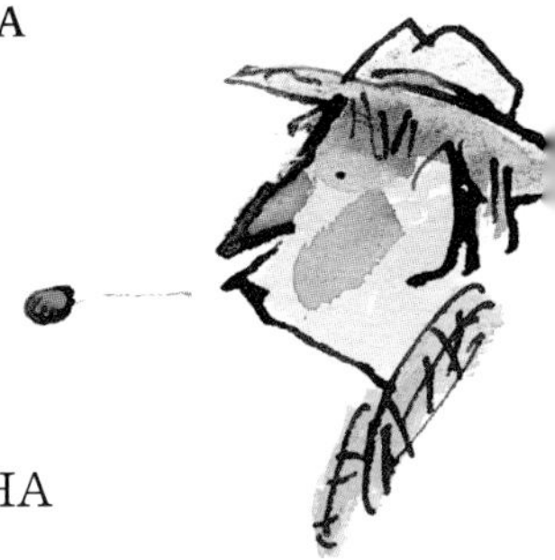

Твърдият бонбон в устата на градинаря.

– ТОПКИ! ИЗПЛЮЙ ТОВА!

Глобусът от кабинета по география.

– ТОПКИ! ТОПКИТЕ СА ЗАБРАНЕНИ НА ТЕРИТОРИЯТА НА УЧИЛИЩЕТО!

Подозрително изглеждащо грахово зърно от столовата.

– ТОПКИ! НА ТОВА ГРАХЧЕ НЕ МУ Е ЧИСТА РАБОТАТА!

Наниз перли около врата на директорката, г-жа Спокойна.

– ТОПКИ! ГОСПОЖО ДИРЕКТОР! ТОПКИ! ТОЧНО ОТ ВАС НЕ ГО ОЧАКВАХ! ТОПКИ!

Това беше **КАВАЛКАДА ОТ КОНФИСКАЦИИ!**

Запрян се бе засилил като снежна топка – странно за човек, който мрази всичко топчесто.

Нещата стигнаха до краен предел в деня, когато върху едно момче с доста кръгла глава, Роланд, се стовари с пълна мощ гневът на г-н Запрян.

– ТОПКИ! КЪЛБОВИДНАТА ФОРМА НА ГЛАВАТА ТИ НАРУШАВА УЧИЛИЩНИЯ ПРАВИЛНИК!

– Но, господине! – протестира Роланд. – Нямам вина, че главата ми е кръгла! Така съм роден!

– БЕЗ „НО“, МОМЧЕ! И ТИ, И ГЛАВАТА ТИ сте КОНФИСКУВАНИ!

С тези думи Запрян вдигна хлапето и закрачи по училищния коридор, а после го натъпка в шкафа.

НАБУТ! НАБЛЪС!

НАТЪП!

ЗАКЛЮЧ!

ЧУК! ЧУК! ЧУК!

– ПУСНЕТЕ МЕ! – извика момчето. – МОЛЯ ВИ! ИМАМ ИЗПИТИ!

– НЕ И ПРЕДИ ГЛАВАТА ТИ ДА СТАНЕ ПО-КВАДРАТНА! ТОПКИ!

Излишно е да споменаваме, че това се превърна в повратен момент за учениците в **Св. Сфера**. Приятелят им Роланд още беше затворен в шкафа, затова те страшно се ядосаха на г-н Запрян. Не можеха да живеят под тиранията му и ден повече.

Най-непримиримо от всички ученици беше едно момиче, което по уместно съвпадение се казваше **Размирна. Размирна,** която оправдаваше името си с индивидуалния си подход към училищната униформа...

... реши да организира тайно събрание на всички деца от училището. Забранено за учители. По време на час **Размирна** прошепна в ухото на приятелката си: „Всички да се съберат след училище в парка. Предай нататък".

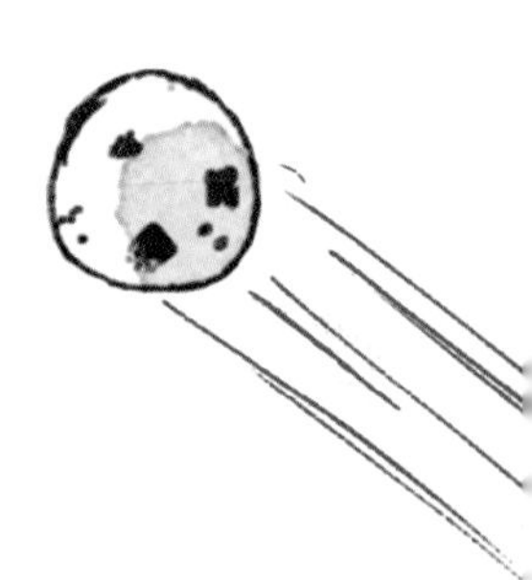

Думите ѝ се запредаваха от едно дете на друго.

Скоро посланието се изкриви.

„В парка да се поберат училище след всички."

„Да се наберат след парка всички в училище."

„Училище да съборят, след всички в парка."

Така или иначе, щом би звънецът за края на часовете…

Д З Ъ Н !

… буен поток от ученици се изля към парка.

Размирна се покачи върху катерушката, за да се обърне към съучениците си. Момичето беше родена подстрекателка и говореше с настойчив плам, който вдъхновяваше слушателите му.

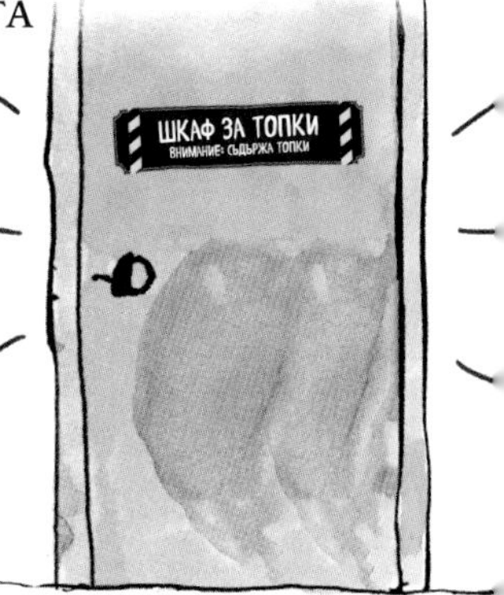

– Писна ли ви г-н Запрян да конфискува всичките ни топки? – викна то.

– ДА! – отвърна одобрително тълпата.

– Искате ли да спасите Роланд от шкафа с топките?

– ДА!

– Трябва ли да си го върнем на г-н Запрян?

– ДА!

– С мен ли сте?

– ДА!

Размирна обясни плана си. Беше доста хитроумен, но щеше да проработи само ако всеки ученик в **Св. Сфера** изиграеше ролята си, при това съвършено.

Този следобед всички деца си тръгнаха от парка въодушевени от мисълта за това какво ще донесе утрешният ден.

На следващия ден би звънецът за обедната почивка.

ЗЪНН!

Докато децата се изсипваха от сградата на училището към игрището, г-н Запрян, както винаги, дебнеше.

– ТОПКИ! ТОПКИ! ТОПКИ! – мърмореше той под носа си, а погледът му се стрелкаше наоколо да открие някоя.

По сигнал на **Размирна** дойде моментът учениците да задействат **ФАЗА ПЪРВА** от своя план.

Група деца заигра футбол.

Друга започна да играе крикет.

Останалите се заеха с хокей, тенис, боулинг, пинг-понг и даже снукър. За каквато и игра да се сетите, която включва топка, те я играеха. При това колкото можеха по-шумно и буйно.

– ГООЛ!

– ГЕЙМ, СЕТ И МАЧ!

– ПОДАЙ ТОПКАТА!

Само че ТОПКИ НЯМАШЕ!

Нито една!

Стотиците деца участваха в огромен номер! Всички до едно играеха пантомима!

Разбира се, г-н Запрян не знаеше нищо за този замисъл. Откъде да узнае? Учителят виждаше как хлапетата гонят топки, ритат ги, търкалят ги, удрят ги, изстрелват ги. Само че… не зърваше нито една топка!

Г-н Запрян избухна като гневен вулкан.

Лицето му яростно почервеня.

От ушите му излезе пара.

Очите му запламтяха.

– ТОПКИ! ТОПКИ! ТОПКИ! ТОПКИ! ТОПКИ! – закрещя неспирно той, докато накрая успя да изреве:

– КАКВО ЗНАЧИ ТОВА?

– Какво значи кое, господине? – попита невинно **Размирна,** като се присламчи към него.

– Цялото училище играе с… – едва се принуди да произнесе думата с „Т“ – Т-Т-Т-Т-Т-ТОПКИ!

– Така е, г-н Запрян. Направо е ужасно, че никой не спазва правилата ви.

– Знам. Знам. Знам. Не четат ли табелите? Там! Там! Там! И там!

Учителят засочи трескаво стотиците табели, които бе закачил по цялата площадка за игра.

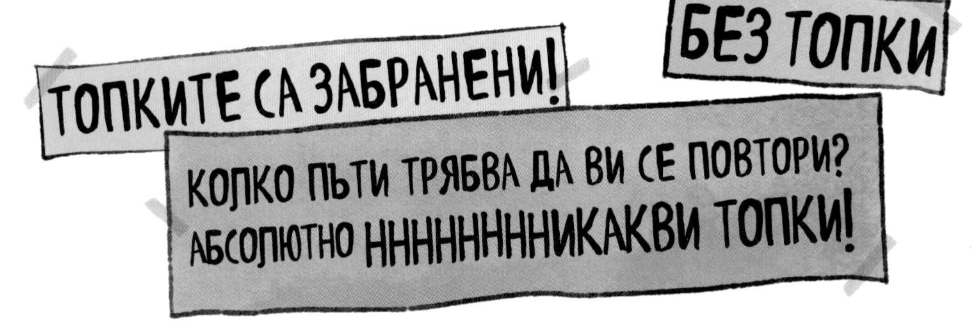

– Може би трябва да поставите още надписи, господине? – предложи с насмешлива усмивка **Размирна.**

– НЕ! НЕ! НЕ! – прогърмя той. – Тези малки непрокопсаници са виждали табелите ми! Просто днес не мога да забележа и една топка. ТОПКИ!

– Какво не можете, господине? – **Размирна** си придаде вид на невинна.

– КЪДЕ СА ТОПКИТЕ?

– Искате да кажете, че не ги виждате? – попита тя с престорена невинност.

– ДА! – избоботи той.

– Това е много странно, понеже те са навсякъде, господине.

– ТОПКИ! КЪДЕ? – настоя той.

– Вижте, господине! Ето една! – посочи тя към нищото.

Пронизващият поглед на Запрян проследи пръста ѝ.

– Не виждам никакви ТОПКИ!

– И друга! И още една! И ТАМ СЪЩО!

– ТОПКИ! ТОПКИ! ТОПКИ!

КЪДЕ? КЪДЕ? КЪДЕ?

– ТАМ! ТАМ! ТАМ! – отвърна тя. – Просто се движат толкова бързо, че изглеждат размазани. Ако ги подгоните, сигурна съм, че ще хванете някоя.

Г-н Запрян подаде на момичето коженото си куфарче и си пое дълбоко дъх.

– ДРЪЖ ТОВА! – нареди той.

– С удоволствие, господине!

Учителят се защура из игрището с рев:

– ТООООООООООООООООПКИИИИИИИИИИИИИИИИИИИИИИИИИИИИИИИИ!

– ДВЕ НА НУЛА! – извика едно дете.

– АУТ! – подвикна друго.

– СТРАЙК! – кресна трето.

Г-н Запрян беше като куче, което си гони опашката.

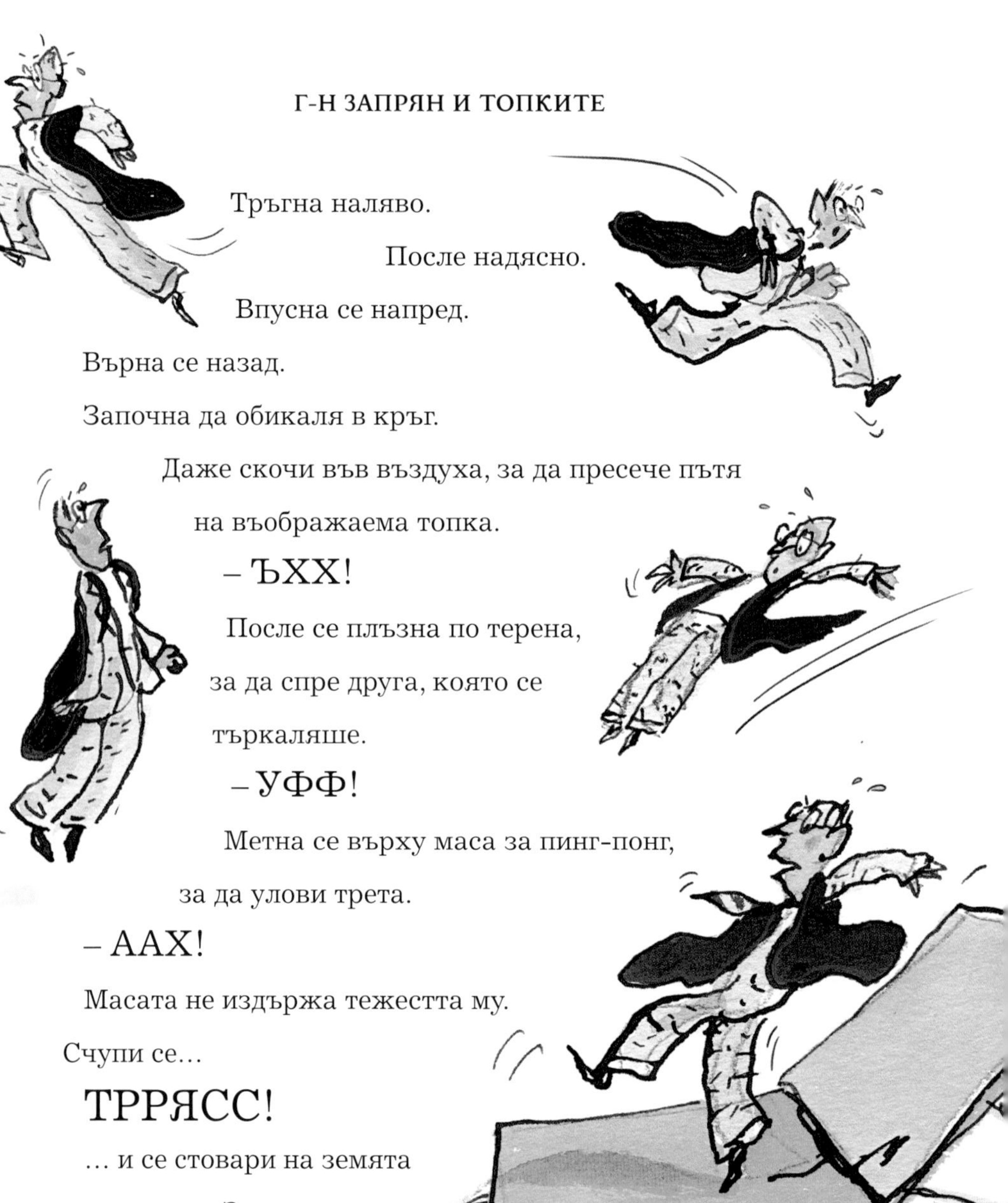

Г-Н ЗАПРЯН И ТОПКИТЕ

Тръгна наляво.

После надясно.

Впусна се напред.

Върна се назад.

Започна да обикаля в кръг.

Даже скочи във въздуха, за да пресече пътя на въображаема топка.

– ЪХХ!

После се плъзна по терена, за да спре друга, която се търкаляше.

– УФФ!

Метна се върху маса за пинг-понг, за да улови трета.

– ААХ!

Масата не издържа тежестта му.

Счупи се…

ТРРЯСС!

… и се стовари на земята заедно с г-н Запрян.

Сега той се търкаляше по земята.

– ТОПКИ! ТОПКИ! ТОПКИ! ТОПКИ! ТОПКИ! ТОПКИ! – започна да си мърмори отново и отново като полудял.

– ТОПКИ! ТОПКИ! ТОПКИ! ТОПКИ! ТОПКИ! ТОПКИ!

Чу се звънецът за край на обедната почивка.

ЗЪНН!

С отчаяни опити да потиснат кикота си…

– ХИИ! ХИИ! ХИИ!

… всички деца заприбираха въображаемите си топки и хукнаха да влязат в час.

– Довиждане, господине! – подвикна **Размирна.** – Надявам се в края на краищата да откриете топките си!

Това предизвика вълна от присмех сред хлапетата.

– ХА! ХА! ХА!

– ТОПКИ! ТОПКИ! ТОПКИ! ТОПКИ! ТОПКИ! ТОПКИ! – продължи да нарежда той.

На горния етаж на училищната сграда се отвори прозорец, г-жа Спокойна надникна навън и извика:

– З-А-П-Р-Я-Н!

– Да, ТОПКИ? Искам да кажа, госпожо? – отвърна ѝ той от игрището.

– Не ви плащам да се въргаляте по земята! Станете, човече! ГОРЕ! ГОРЕ! ГОРЕ!

Г-н Запрян бързо се изправи.

– Много съжалявам, госпожо. ТОПКИ!

– Надявам се! Сега тръгвайте за часа си! Веднага! И престанете да повтаряте „топки".

– Топки! Имам предвид, добре. ТОПКИ!

Всички деца бяха притиснали лица към стъклата и зяпаха с ококорени от удоволствие очи.

Беше време за **ФАЗА ВТОРА** от техния план.

Докато все още замаяният г-н Запрян се клатушкаше през празната площадка, **Размирна** даде заповедта:

– СЕГА!

От прозорците на училището всички деца започнаха да хвърлят топки, които тайно бяха вмъкнали в сградата сутринта.

Топки за футбол, за баскетбол, за тенис, за пинг-понг, за софтбол – всички видове, за които можете да се сетите, се сипеха върху игрището.

ПОДСКОК! ПОДСКОК! ПОДСКОК!

Те подскачаха около г-н Запрян. Някои даже отскачаха от главата му.

ОТСКОК! ОТСКОК! ОТСКОК!

– ТОПКИ! – изрева той. Помисли си, че може би му се привиждат, докато посягаше да ги сграбчи. – ТОПКИ! ТОПКИ! ТОПКИ! ТОПКИ! ТОПКИ! ТОПКИ! ТОПКИ! ТОПКИ! ТОПКИ!

Хвана няколко в ръце, но те бяха твърде многобройни, за да ги задържи. Със задоволство започна да ги тъпче по себе си. Натика футболни топки в панталоните си, топки за тенис в пуловера, топки за крикет под мишниците, баскетболна топка под брадичката и дузина топчета за пинг-понг в устата.

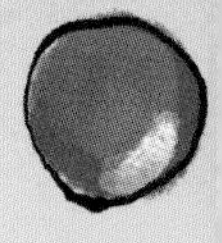

Г-н Запрян се заклатушка по игрището, сякаш някой го бе напомпал с въздух.

– ТОПКИ! ТОПКИ! ТОПКИ! ТОПКИ! ТОПКИ! ТОПКИ! ТОПКИ! ТОПКИ! ТОПКИ! ТОПКИ! ТОПКИ! ТОПКИ! ТОПКИ! ТОПКИ! ТОПКИ! – продължи да си повтаря той, докато бързаше към училищното здание.

Учителят, разбира се, се бе запътил към специалния си шкаф, където бяха заключени всички конфискувани топки. Шкафът вече пращеше от топки, а горкият кръглоглав Роланд също все още бе натъпкан там.

ДУМ-ДУМ-ДУМ!

– ПОМОЩ! ПУСНЕТЕ МЕ! ВЕЧЕ МИНАХА ДВА ДНИ И ЕДИНСТВЕНАТА МИ ХРАНА БЕШЕ СТАРА МУХЛЯСАЛА ТОПКА ЗА ТЕНИС! – изплака момчето.

Г-н Запрян затършува за ключа си и отвори вратата.

– ОХ! СЛАВА БОГУ! – възкликна Роланд. – Пускате ме!

– Не! – избухна Запрян. – Прибирам още! ТОПКИ!

Като едва удържаше Роланд и стената от топки, Запрян започна да тъпче още.

– ТОПКИ!

Шкафът вече беше пълен до пръсване.

Докато всички ученици подаваха глави от вратите на класните стаи, за да гледат, г-н Запрян натисна с гръб вратата на шкафа, за да я затвори. Това изискваше цялата му сила.

– ЪХХ!

Когато най-сетне успя да затвори и заключи вратата, учителят се усмихна доволно.

– **ТОПКИ!** – каза си той.

После шкафът внезапно изскърца от налягането.

СКРЪЦ!

– Господине? – подвикна Размирна от една врата.

– ТОПКИ! Искам да кажа, какво?

– Само още една, господине!

С тези думи тя затъркаля към него огромна плажна топка.

ТУПУУРР!

Г-н Запрян нетърпеливо се хвърли към нея.

– ТОПКИ! ПИПНАХ ТЕ!

След това отключи вратата на шкафа, за да затвори и последната като всички останали.

Това обаче се оказа грешка.

Щом завъртя ключа, навън изригнаха хиляди топки (и Роланд).

БУУМ!

Те се затъркаляха по коридора.

ПОДСКОК! ПОДСКОК! ПОДСКОК!

Беше същинско цунами от топки. Г-н Запрян бе отнесен. Децата затвориха вратите на класните стаи и загледаха през стъклата как учителят им се носи по коридора.

Роланд успя да скочи върху някакви шкафчета.

Вече бе в безопасност.

завикаха хлапетата.

– Минаха два дни. Много ми се ходи до тоалетна! – каза момчето, докато учителят профуча покрай него.

ФИИУУУ!

– ТОПКИ! – изпищя Запрян.

Топките го понесоха по стълбите, през вратите и навън на площадката за игра.

– ПОМОЩ! – изкрещя той.

Цялото училище се изсипа навън да го зяпа, но никой не можеше да му помогне.

– ТООООООООООООООПКИИИИИИИИИИИИИИИ! – изрева г-н Запрян, изхвърчайки през портала. Той се затъркаля по улицата чак до края на града. Топките продължиха в далечината, отнасяйки г-н Запрян със себе си.

Никой повече не видя учителя по математика.

От този ден нататък учениците в **Св. Сфера** бяха щастливи, че могат да се забавляват на колкото си искат игри с топки. Но чувстваха и тъга.

Защо?

Защото много им липсваше да дразнят учителя си…

В крайна сметка, защо иначе човек да ходи на училище?

Г-Н и Г-ЖА
ЦУНИ-ГУНИ
и морето от сълзи
ЛЮБОВ
СЛАДКА ЛЮБОВ
СЛАДКА, КРАСИВА
ЛЮБОВ
УЧИЛИЩЕ „СВ. ВАЛЕНТИН“
АНГЛИЙСКИ И ИСТОРИЯ

Г-Н и Г-ЖА ЦУНИ-ГУНИ
и морето от сълзи

Г-Н ЦУНИ преподаваше английски в **училище Св. Валентин** от памтивека. Той се обличаше, сякаш всичките му дрехи бяха изплетени от старата му майка. Което си беше точно така. Никой не го бе виждал без плетена вратовръзка, жилетка и костюм от туид.

Един ден в училището постъпи нова учителка по история. Казваше се г-ца Гуни. Тя се обличаше, сякаш шиеше всичките си дрехи от стари завеси. Което си беше точно така. Харесваше рокли с флорални мотиви, които се разстилаха от главата до петите.

Двамата бяха **създадени** един за друг.

На първия си работен ден г-ца Гуни беше дежурна в междучасието заедно с г-н Цуни. Докато всички момчета и момичета от училище Св. Валентин играеха на **ГОНЕНИЦА**, двете **влюбени гълъбчета** се видяха за пръв път.

Отначало стеснителността им позволяваше само да се погледнат за кратко и после да се извърнат настрани. Скоро обаче погледите станаха все по-дълги и **по-дълги** докато очите им се взираха едни в други.

Червени и кафяви листа се сипеха от дърветата край тях.

ШУМУЛ!

Повей на вятъра развяваше косите им във въздуха.

ПОВЯВ!

От кабинета по музика долиташе звук на цигулки.

ДАА-ДИИ-ДАА-ДЪМ!

В концертната зала репетираха прочутата сцена на балкона от най-романтичната пиеса, писана някога – ***Ромео и Жулиета*** на Шекспир.

– Но стой, каква е тази светлина,
която от прозореца изгрява?
Той изток е, а Жулиета – слънце!

* Почти толкова романтично е, колкото любовната история на Бърт и Шийла в класическия роман *Плъхбургер*.

За нула време сърцата им се изпълниха до краен предел. И двамата не можеха един без друг и миг повече. Г-н Цуни и г-ца Гуни разпериха ръце и се втурнаха един към друг. Препускаха през игрището като газели, разбутвайки дечицата по пътя си.

Накрая двойката се сля в прегръдка.

ГУУУШШ!

Те се притиснаха здраво един в друг. Сякаш бяха търсили по света цяла вечност, за да открият най-после своята сродна душа. Радостта им бе толкова голяма, че и двамата избухнаха в потоци от сълзи.

– Буу-Хуу-Хуу!

ПФУ!

Не е ли възмутително? Какво може да предизвика гадене повече от учител, изпаднал в любовни терзания?

ПОВРЪЩ!

Отговорът е лесен – *двама* учители, изпаднали в любовни терзания.

ДВОЙНО ПОВРЪЩ!

Тази първа среща беше само началото. Скоро г-н Цуни започна да кисне постоянно пред кабинета по история, за да праща въздушни целувки на г-ца Гуни.

– МЛЯС!

БЛЪВ!

На свой ред г-ца Гуни постоянно се отбиваше в кабинета по английски, за да остави на г-н Цуни чаша чай и парче от домашно приготвения си пандишпан „Виктория“.

ДЗЪН!

ДРАЙФ!

Един ден той изяде двадесет и седем парчета и се наложи да го заведат при лекаря.

Много скоро двамата влюбени учители започнаха да си подвикват любовни послания по училищните коридори.

– Вече ми липсваш, моя красива дъга – казваше той, макар тя да се бе отдалечила само за пет секунди.

ХРАЧ!

– До междучасието, мой прекрасни принце на любовта – отвръщаше тя.

ПОВЪР!

Всички хлапета в училище Св. Валентин намираха това за повръщително.*

* „Повръщително“ е дума. Просто потърсете в Уолямсречника.

Както си седиш тихо в библиотеката, можеше да се окажеш на пътя на някоя от лигавите въздушни целувки, които г-ца Гуни изпращаше към г-н Цуни.

ЦОП!

Или както си нагъваш обяда, да те сполети ужасяващата гледка на г-н Цуни, притиснал лице в прозореца на столовата, за да зяпа влюбено г-ца Гуни.

ШЛЯП!

Обядът ти щеше да се окаже на пръски по целия прозорец.

ПЛЛЛИССС!

Дотук зле. Нещата обаче станаха още по-лоши.

Много по-лошести*.

Любовната история на двамата учители цъфтеше и процъфтяваше и даже разпроцъфтяваше** и един ден г-н Цуни приклекна на коляно пред цялото училище.

– Да ти подам ли ръка да станеш? – попита г-ца Гуни.

* Истинска дума, която ще откриете в най-добрия речник на света, **Уолямсречника**.

** Има я в **Уолямсречника**, значи трябва да е истинска дума. Той никога не греши.

– Още не – отвърна той. – Откакто за пръв път те зърнах на игрището…

Столовата все още бе изпълнена с бъбренето на децата.

– Моля ви, може ли малко тишина? Все още чувам говорене! Благодаря ви.

Учениците замлъкнаха.

– Откакто… о, това вече го казах. Г-це Гуни, щом ви видя, сърцето ми се изпълва с радостностност. Моля ви, ще ме направите ли най-щастливичкия мъж на света, като станете моя съпруга?

Г-це Гуни, ще се омъжите ли за мен?

Той извади от джоба си пръстен, изплетен от майка му, и го връчи на г-ца Гуни.

Учителката по история избухна в порой от сълзи.

– БуУ-ХуУ-ХУУ!

– Това „да“ ли е? – запита учителят по английски.

Г-ца Гуни не беше в състояние да говори, затова само кимна и изхлипа. Тогава г-н Цуни също избухна в сълзи.

– БуУ-ХуУ-ХУУ!

Все още беше приклекнал на коляно и започна да му става неудобно.

– Ох! Всъщност може ли вече да ми помогнеш да стана? Коляното ми изтръпна.

Избраха дата за сватбата и накараха цялото училище да присъства. Църквата до реката се намираше на хвърлей камък от училището, така че за отсъствие нямаше абсолютно НИКАКВО ОПРАВДАНИЕ.

На всички момичета беше наредено да носят шаферски рокли, ушити от завеси.

– ХА! ХА! ХА! – присмиваха им се момчетата.

Само че не трябваше да го правят, защото на тях пък им наложиха да облекат розови шаферски костюмчета, изплетени от майката на г-н Цуни.

– ХИ! ХИ! ХИ! – надсмиваха се момичетата.

Г-н Цуни носеше костюм от три части в бебешко синьо, изплетен, разбира се, от неговата майка.

Тя рева по време на цялата церемония.

– БуУ-ХУУ-ХУУ!

Г-ца Гуни от своя страна бе издокарана с огромна бухнала рокля, изработена от тюлени завеси. С нея приличаше на сладкарска целувка.

Въпреки че на децата им се размина учебният ден, нищо не бе ПО-СКУЧНО от сватбена церемония, продължаваща ДЕВЕТ ЧАСА! Беше толкова умопомрачително дълга, защото младоженецът държеше да прочете на глас любовната поема от десет хиляди стиха, която бе съчинил за невестата си.

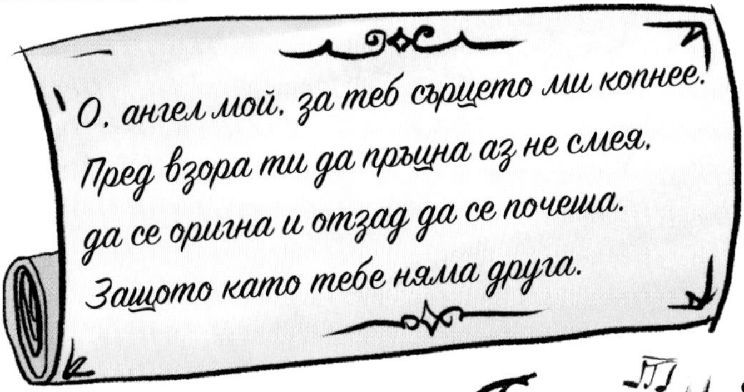

О, ангел мой, за теб сърцето ми копнее.
Пред взора ти да пръцна аз не смея,
да се оригна и отзад да се почеша.
Защото като тебе няма друга.

Булката на свой ред беше написала четиричасова опера за жениха, която изпя на немски.

Когато гостите на сватбата започнаха да задрямват...

– ХЪР! ХЪРР! ХЪРРР!

... викарият с уморен вид най-после ги обяви за съпруг и съпруга.

– Сега вече сте г-н и г-жа Цуни-Гуни!

Булката избухна в потоци от сълзи.

– БуУ-ХуУ-ХУУ!

– Наистина се надявам това да са сълзи на щастийце, любов на живота ми? – попита младоженецът.

– Никога не съм била по-щастливичка. БУУ-ХУУ-ХУУ!

Като видя жена си да плаче, г-н Цуни не можа да сдържи и собствените си сълзи.

– БуУ-ХуУ-ХУУ! БуУ-ХуУ-ХУУ! БуУ-ХуУ-ХУУ! БуУ-ХуУ-ХУУ! БуУ-ХуУ-ХУУ! БуУ-ХуУ-ХУУ!БуУ-ХуУ-ХУУ! БуУ-ХуУ-ХУУ! БуУ-ХуУ-ХУУ! БуУ-ХуУ-ХУУ!

Плакаха поне час. Сълзите им се събираха в огромни локви по пода.

Викарият погледна часовника си и въздъхна.

– Много съжалявам, но днес имам и кръщене, а после и погребение, така че бихте ли били така добри просто да се РАЗКАРАТЕ?

Учителите все още хлипаха.

– БуУ-ХуУ-ХУУ!

– Казах, омитайте се оттук!

Викарият метна един сборник с химни по възрастния органист, който беше заспал.

– ХЪР! ХЪРР! ХЪРРР!

ФИУУ!

ПРАС!

– ОХХ!

Щом се събуди, органистът засвири „Сватбения марш“.

ДАА-ДАА-ДИ-ДАА...

После, понеже двойката не помръдваше, викарият запретна ръкавите на расото си и с всички сили ги избута от църквата.

– РАЗКАРАЙТЕ СЕ!

Цялото училище въздъхна с облекчение. Най-дългата сватбена церемония в историята най-после беше свършила.

ГРЕШКА!

Всичко тепърва започваше.

В течение на месеци след това г-н и г-жа Цуни-Гуни бърбореха ли, бърбореха за специалния си ден. Наистина бяха двама от най-лошите учители на света.

Семейство Цуни-Гуни прекарваше учебните часове, като караше учениците да гледат отново и **ОТНОВО** видеото от деветчасовата сватбена церемония.

Отмениха училищната постановка на *Брилянтин* и вместо нея принудиха децата да поставят операта на г-жа Цуни-Гуни за г-н Цуни-Гуни.

ХЪР

Махнаха трофеите от витрината и ги замениха с целувчената сватбена рокля на г-ца Цуни-Гуни.

Двамата се обсипваха с конфети, когато се разминаваха в коридора.

Най-лошото от всичко беше, че г-н Цуни-Гуни рецитираше поемата си от десет хиляди стиха всяка сутрин на училищното събрание!

Аз верен ще ти бъда за вечни времена,
без теб в сърцето мое ще тегне тъмнина.
Тъмнина в смисъл на тъга, не на тъмно мазе.

Дотук наистина зле. Но нещата щяха да станат **по-прелоши***.

Един ден на корема на г-жа Цуни-Гуни се появи **издутина.**

– ЩЕ СИ ИМАМ БЕБЕ-БЕБЧЕ-БЕБЕШОЧЕ!

* Отново ще намерите тази дума в **Уолямсречника**, който се продава във всички лоши книжарници.

Няма да навлизам в подробности. Издутината растеше ли, растеше, и растеше, докато един ден изчезна, за да се появи наистина едро бебе.

– Буу-Хуу-Хуу! – плачеше то.

– Буу-Хуу-Хуу! – хлипаха умилените му родители.

Въпросното едро бебе порасна и се превърна в наистина едро момче. Не след дълго то стана възпитаник на училище Св. Валентин с училищна униформа, ушита от майка му – от завеси, разбира се.

Сега в училището имаше трима от семейство Цуни-Гуни!

Г-н Цуни-Гуни,

г-жа Цуни-Гуни

и младият г-н Цуни-Гуни.

Разбира се, момчето беше абсолютният **любимец на учителите.** То получаваше най-добри оценки по всичко.

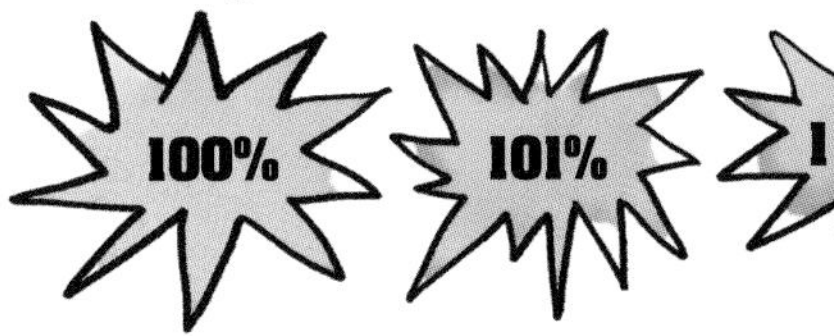

В часовете по английски вдигаше ръка след **всяко** изречение, произнесено от скъпия му татко.

– Да, мое ангелче небесно? – питаше г-н Цуни-Гуни.

– Татенце-патенце?

– Да, синченце-цветенце?

– Исках само да ти кажа-разкажа, че си най-най-чудесничкото татенце в целия-целеничък свят.

Г-н Цуни-Гуни избухваше в порой от сълзи.

– БуУ-ХУУ-ХУУ! Тооолкова много те обичкам, че сърцето ми ще се **пръсне.**

После хукваше по коридора, за да намери съпругата си, да я измъкне от кабинета ѝ по история и да я довлече в своя.

– Да, мое мъжленце-съпруженце? – питаше тя.

– Само исках да ти благодаря, че ме благослови с най-големия дар, който може да предложи животът.

– Какъв е той, кажи, моля те?

– Това наше съвършено, съвършено детенце!

Тогава идваше ред на г-жа Цуни-Гуни да избухне в плач.

– БУУ-ХУУ-ХУУ!

– Защо плачеш, мамо? – питаше момчето.

– Защото съм най-щастливичкото-късметливичко мамченце в целия-целеничък свят.

Това караше и него да зарони сълзи.

– БУУ-ХУУ-ХУУ! А аз съм най-щастливичкото-сълзливичко синче!

После тримата се прегръщаха и хлипаха още известно време, понеже бяха най-щастливичкото-оживеничко-откаченичко семейство, живяло някога.

– БУУ-ХУУ-ХУУ!

ПФУ! ПФУ! И ОТНОВО **ПФУ!**

Тримата Цуни-Гуни държаха всички да знаят колко много се обожават един друг. Затова една сутрин свикаха училищно събрание. За тема бяха обявили

ОБИЧ, СЛАДКА ОБИЧ.

Когато семейството се доклатушка във физкултурния салон, облечено в грамадни розови влюбени сърца, сред децата изригна смях.

– ХА! ХА! **ХА!**

Г-н Цуни-Гуни видимо много се разсърди.

– Тихо, моля! Нищо смешно няма в костюмите ни!

– НАПРОТИВ, ИМА! – подвикна един шегаджия отзад. – ИЗГЛЕЖДАТЕ КАТО РОЗОВА ВАФЛА!

– ХА! ХА! **ХА!**

– Облечени сме така – продължи г-н Цуни-Гуни, – за да можем да ознаменуваме нашата чудесна-прекрасна обич заедно с всички вас.

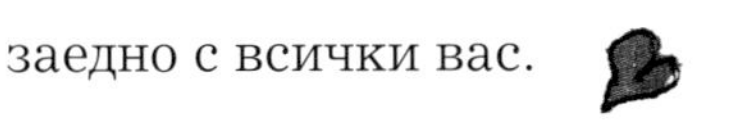

– Всяка сутрин, след като се събудим – добави Цуни-Гуни-младши, – отделяме няколко часа да си кажем-блажем един на друг колко много се обичаме. Затова днес ще го споделим с цялото-целеничко училище. За да можете и вие някой ден да станете обичливи-обичнички като нас.

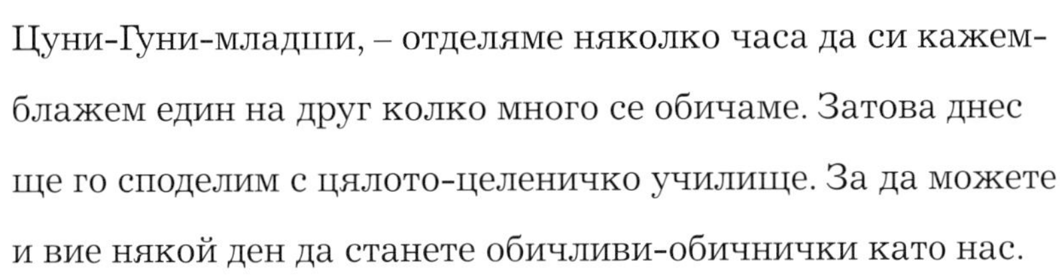

Обич, Сладка Обич

– **ООХХ!** – изпъшка цялото училище. Ама че досадно семейство бяха тези.

– Татенце-патенце?

– Кажи, синченце-цветенце?

– Ти започни-захвани. Покажи на тези лоши, невъзпитани деца колко сме чудесни-прекрасни!

Г-н Цуни-Гуни си пое дълбоко дъх, обърна се към половинката си и започна:

– Всяка сутрин призори казвам на съпругата си: „Обичам те повече от небесните дъги".

Тогава г-жа Цуни-Гуни се обърна към детето си и обяви:

– А аз казвам на сина си: „Обичам те повече от лунните лъчи".

Сетне Цуни-Гуни-младши се обърна към баща си и прибави:

– А аз казвам на моето татенце-патенце: „Обичам те повече от сладолед".

След това и тримата избухнаха в ридания.

– БУУ-ХУУ-ХУУ!

ПОВРЪЩ!

Това продължи още и още, и още. И още. И още малко. Още и още, и още, и още.

И ощежаваше ли, ощежаваше, и ощежаваше.*

Събранието се проточи цял ден! Сълзите се **леexa** ли, **леexa**. Първо оформиха локвички. После – вирчета. Накрая – езерца. Хлапетата във физкултурния салон скоро осъзнаха, че са до глезените в сълзи!

– Обичам те повече от снежинките!

– Обичам те повече от розичките!

– Обичам те повече от слънчицето!

– БУУ-ХУУ-ХУУ!

ТОВА БЕШЕ ОПАСНО! Имаше съвсем реална заплаха да се удавят в сълзи!

Децата вече бяха затънали до колене.

ПЛИСС!

Сетне започнаха да газят до кръста.

ПЛИСС!

Не след дълго бяха залети до гърдите.

ПЛИСС!

Само главите им се поклащаха над сълзите. Те **запищяха** за помощ.

* За последен път: проверете в *Уолямсречника* си!

– СПРЕТЕ!

– ПОМОЩ!

– МОЛЯ ВИ!

– НЕ!

– НЕ МОГА ДА ПЛУВАМ!

В търсене на безопасно място децата стъпиха върху столовете си, а нивото на сълзите се покачваше ли, покачваше, и се покачваше и накрая се наложи да се катерят по шведските стени.

– ТАМ ГОРЕ!

– БЪРЗО!

– ТОВА Е ЕДИНСТВЕНАТА НИ НАДЕЖДА!

Семейство Цуни-Гуни, обгърнато от собственото си балонче любов, изобщо не съзнаваше каква суматоха причинява.

– Обичам те повече от летните поля.
– Обичам те повече от новородени зайчета.
– Обичам те повече от локум.
– БУУ-ХУУ-ХУУ!

Дотолкова не съзнаваше, че не разбра кога потопът го отнесе. Тримата все още продължаваха да декларират обичта си, докато се поклащаха насред морето от сълзи.

– Обичам те повече от прясно изпечени кроасани!

– Обичам те повече от бебета делфинчета!

– Обичам те повече от хубав чифт удобни пантофи, сгрети от огъня!

– Буу-Хуу-Хуу!

И проливаха сълзи, сълзи и още сълзи.

Фшшш! Фшшшш! Фшшшш!

Накрая вратите на физкултурния салон не удържаха на натиска.

Цуни-Гуни бяха пометени навън от **цунами**, създадено от собствените им сълзи.

Ф Ф Ш Ш Ш Ш !

Тримата профучаха през игрището и покрай църквата, преди да се понесат по реката.

ПЛИСССС! ПЛИСССС! ПЛИСССС!

Дори тогава не спряха с глупостите си.

– Обичам те повече от сладкарска сметана.

– Обичам те повече от бебета хамстерчета.

– Обичам те повече от глухарчета.

Реката беше **широка**, а течението – бързо. За нула време семейство Цуни-Гуни се оказа далеч навътре в морето.

ФФИИИЙ!

За пръв път от години нещата в училище Св. Валентин се нормализираха. Училището беше далеч по-спокойно без присъствието на досадното семейство.

Само че през една обедна почивка, много месеци по-късно, вратата на столовата се отвори с трясък.

Хлапетата зяпнаха шокирани.

– ИХАА!

Всички бяха приели, че семейство Цуни-Гуни е загинало в морето.

О, не.

Бяха си съвсем живи.

Триото влезе с препъване, дрехите им представляваха прогизнали парцали и тримата имаха дълги, чорлави бради.

– Ще бъдете във възторг да научите, че сме оцелели! – викнаха те, посрещнати с оглушителна тишина от децата.

– Гушкахме-мушкахме се заедно, за да се топлим! – обяви Цуни-Гуни-младши.

– Хранехме се с прегръдки и целувки-милувки! – добави г-жа Цуни-Гуни.

– Оцеляхме благодарение на силата-милата на обичта! – заключи г-н Цуни-Гуни.

Семейство Цуни-Гуни се беше завърнало! И беше **по-цунесто и гунесто** от всякога!

Сега бе ред на всички деца да избухнат в порой от сълзи.

– БУУ-ХУУ-ХУУ!

Г-ЦА ШИП
и триколката на ужаса
ГЛОБИ
ГЛОБИ
ОЩЕ ГЛОБИ
УЧИЛИЩЕ „СПОТИНГДЪН“
БИБЛИОТЕКАР

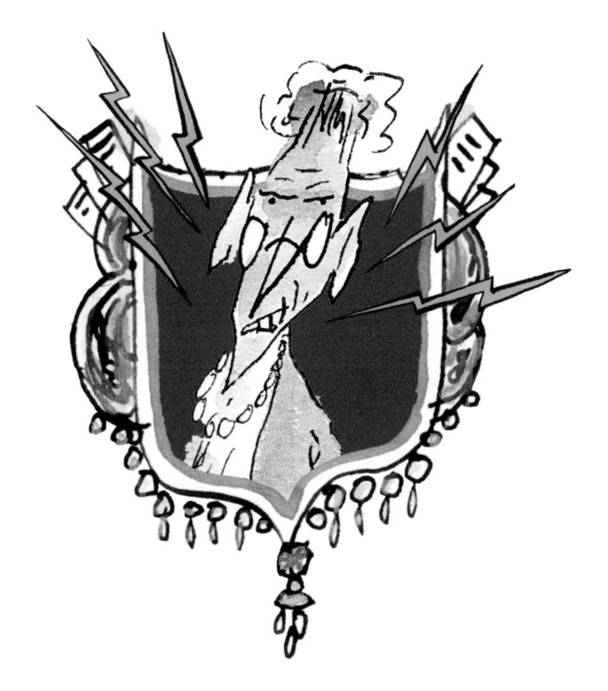

Г-ЦА ШИП
и триколката на ужаса

В СВЕТА НА ужасните учители една изпъква особено със своята злина. Пристъпете напред, или по-скоро, изтъркаляйте се напред, г-це Шип.

Тази дама може и да беше в напреднала възраст, но не бе изгубила и капка от способността си да всява страх в сърцата на всички ученици в училище СПОТИНГДЪН.

Очите на г-ца Шип бяха черни като въглен. Кожата ѝ беше бяла като сняг. Езикът ѝ бе дълъг и ТЪНЪК като на змия. „С“–тата ѝ бяха **зловещи**, когато говореше.

Библиотекарката винаги фучеше покрай етажерките с книги с *максималната* скорост на триколесния си инвалиден скутер.

Децата трябваше да отскачат от пътя ѝ, за да не бъдат прегазени*

* Да те прегази скутер, не е толкова забавно, колкото звучи, а то не звучи особено забавно.

Въпреки падащите по пода ранени деца библиотекарката държеше библиотеката си безупречно чиста и подредена.

Всички гръбчета на книгите образуваха съвършено прави редици по рафтовете в строг азбучен ред. Никъде в библиотеката на училище **СПОТИНГДЪН** никога не се виждаше и една прашинка или петънце.

Г-ца Шип налагаше строга политика

Табелите ви напомняха това на всяка крачка. Всъщност може би имаше повече табели, отколкото книги.

Самите книги трябваше или да се заемат, или да не се пипат. Когато ги връщаха, библиотекарката вадеше лупата от чекмеджето си и внимателно ги оглеждаше за повреди. Шип не пропускаше. Винаги откриваше някоя. А това означаваше, че трябва да си **платиш**!

— ***Сссследа*** от прегъване в горния край на *ссс*траница *ссс*то трий*ссс*ет и ***ссс***едем. **ГЛОБА!**

— ***Сссъзирам изсссветлели*** цветове на задната корица заради **поссставяне** на ***ссс***лънце. **ГЛОБА!**

– *Сссупер мазно* петно от палец или **осссобено тлъсссст пръсссст** на предния подгъв на обложката. **ГЛОБА!**

Шип определяше глобите сама. Те силно варираха. Библиотекарката се взираше в обувките на ученика и от състоянието им заключаваше колко вероятно може да си позволи.

– Износссени. **ДЕСССЕТ ПЕНСССА!**

– Идеално излъсссскани, **ДЕСССЕТ ЛИРИ!**

После грабваше парите и ги натъпкваше в специалната си тенекиена кутия. Въпросната кутията беше огромна, по-скоро подобна на ковчеже за съкровища, и пращеше от **ПАРИ.**

Всяко от децата в СПОТИНГДЪН
беше ставало жертва
на алчността на Шип.
Освен две. Близнаците Тан.
Том и Тим Тан бяха деца гении.

Те винаги получаваха **СТО ПРОЦЕНТА** на всички тестове. Грубияните ги наричаха „зубрачи". Обаче тези „зубрачи" със сигурност щяха да измислят някой суперкомпютър, да станат милиардери и да завладеят света!

Братята Тан вече се занимаваха с какви ли не **изобретения,** макар че никое от тях все още да не беше станало особено известно. Те бяха създали:

Близнаците Тан работеха десетократно по-усърдно от всеки друг в училището. Бяха толкова прилежни, че през живота им никой не им се беше карал. Затова няма да ви изненада, че когато връщаха книга в училищната библиотека, състоянието ѝ винаги беше безупречно.

Излишно е да споменаваме, че това караше Шип да кипи от **ярост**, понеже така не можеше да ги глоби. Независимо от това, тя беше натрупала цяло състояние от останалите деца.

Но за какво ѝ трябват на стара училищна библиотекарка всички тези пари?

За да си тунингова скутера, разбира се.

СЛЕДЕТЕ СЮЖЕТА!

Децата бяха измислили прякор на страховитата машина:

Тя наистина бе ужасяваща с всичките си модификации:

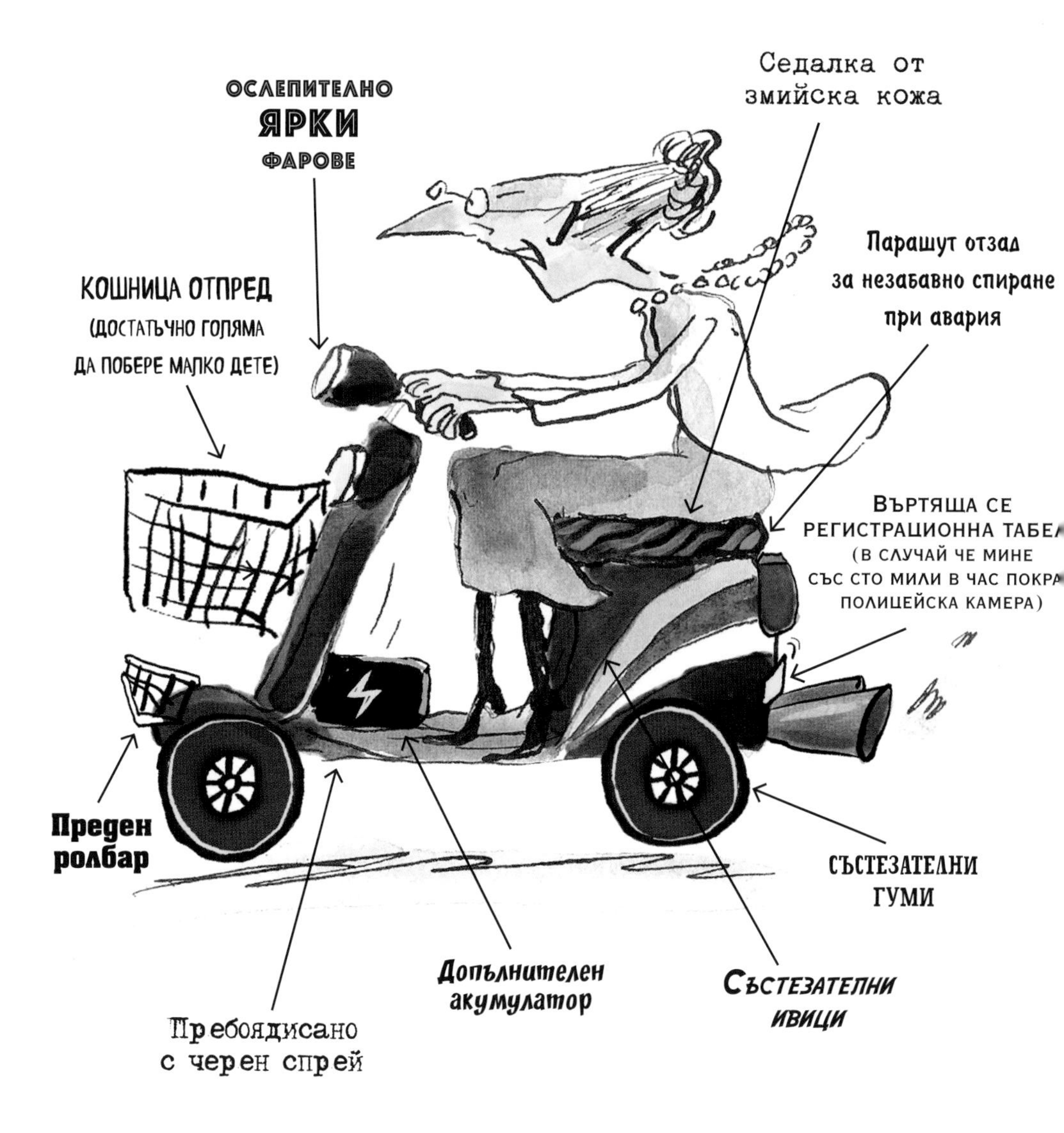

За да плаща за всички тези екстри, г-ца Шип започна да налага глоби **на момента** в библиотеката по всякакви дребнави причини:

Върнали сте книга с една секунда закъснение........... 10p
Шепнете твърде силно................................. 20p
Кихате върху книга................................... 75p
Изглеждате, сякаш се готвите
да се озъбите на книга............................... 65p
Изпуснали сте книга.................................. £20
Ризата ви е разпасана................................ 55p
Облегнали сте се върху етажерка...................... 25p
Прозявате се... 5p
Издърпали сте книга от рафта чрез закачване
с пръст отгоре (X) вместо хващане на гръбчето
с два пръста (✓)................................... £8.50
Подостряте молив, нарушавайки тишината............... 95p
Смучете бонбон....................................... 35p
Внесли сте кутия с газирана напитка
в библиотеката (строго забранено).................... £1.25
Имате яйцевидна глава................................ 15p
Химикалката ви скърца твърде силно................... 30p
Изпуснали сте троха на килима........................ 1p
Усмихвате се без предварително писмено разрешение..... 40p
Миришете на сирене................................... 80p
Потропвате по бюрото................................. 85p
Дишате повече въздух, отколкото ви се полага.......... 90p
Бъркате си в носа.................................... 50p
Бъркате си в носа и ядете изваденото................. £1
Бъркате, близвате, овалвате
на топче и хвърляте.................................. £2.50
Пръцкате... £100

Скоро стана невъзможно изобщо да стъпиш в библиотеката, без Шип да те изнуди за пари. Затова децата просто спряха да ходят там, което бе настина жалко, защото те обичаха да четат книги*.

След като седя цял срок сама в голямата си празна библиотека без нито един посетител, Шип удари ядосано по бюрото.

БУУМ!

Разбира се, наложи се да се глоби заради това.

Тя извади 85 пенса от специалното си ковчеже за глоби, после веднага ги върна обратно там.

ДРЪНН!

Тогава на г-ца Шип ѝ хрумна нещо.

ДЗЪН!

* Особено моите. Аз самият никога не съм ги чел, но съм чувал, че са чудесни.

Щом децата не искаха да идват при нея, щеше да се наложи тя да иде при **ТЯХ**. И така, яхна своята **ТРИКОЛКА НА УЖАСА** и я подкара през двукрилата врата на библиотеката…

… навън от училището.

Когато г-ца Шип се изтърколи на игрището, един повей на вятъра подхвана пакетче от чипс…

ШУМУЛ!

… и го подхвърли право в лицето ѝ.

– ЧУДЕСНО!

– възкликна тя.

Това ѝ даде идея.

ДЗЪН!

ГЛОБИ

на момента

за замърсяване!

– Хей, хлапе, тази опаковка от шоколад, *която* толкова лекомисссленo хвърли през рамо, ще ти *ссструва ссскъпо* – изсъска тя миг по-късно.

– Но, г-це Шип, опаковката не е моя – възрази момичето.

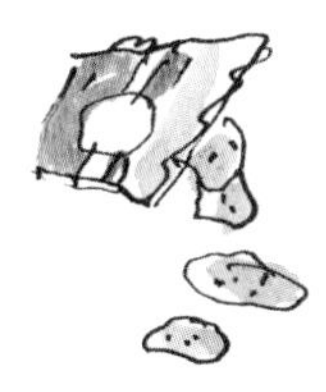

– О, **твоя ссси** е.

– Не, не е! Кълна се. Алергична съм към шоколад и никога, **никога** не съм го яла.

– Докато говореше, глобата **нарасссна** от **шессстдесссет** на **ссседемдесссет** пенса.

Децата нямаха друг избор, освен да изкихат парите.

В противен случай Шип ги подгонваше през площадката за игра, яхнала

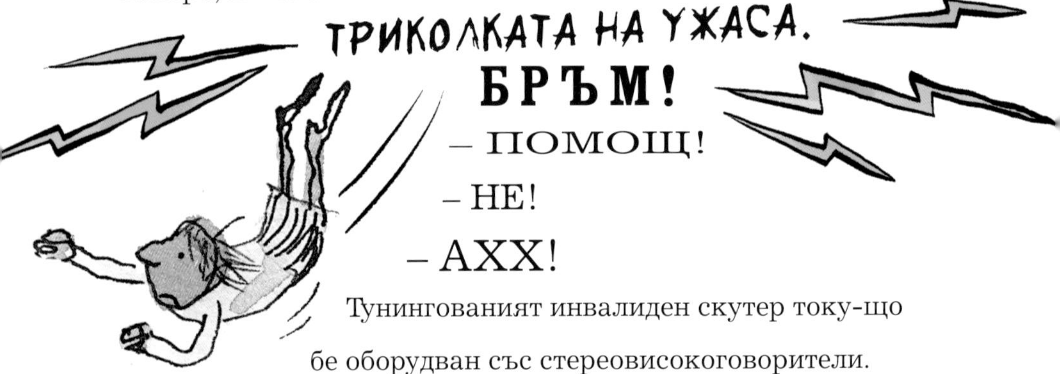

ТРИКОЛКАТА НА УЖАСА.

БРЪМ!

– ПОМОЩ!

– НЕ!

– АХХ!

Тунингованият инвалиден скутер току-що бе оборудван със стереовисокоговорители. Сега г-ца Шип можеше да слуша бомбастичната Пета симфония на Бетовен (любимото ѝ музикално произведение), пусната на повторение, докато тормози децата.

ТА-ДА-ДА-ДАМ!

На учениците от училище СПОТИНГДЪН бързо им свършваха джобните. Всяко пени отиваше право при г-ца Шип и на тях не им оставаше какво да харчат за **наистина** важните неща в живота, като:

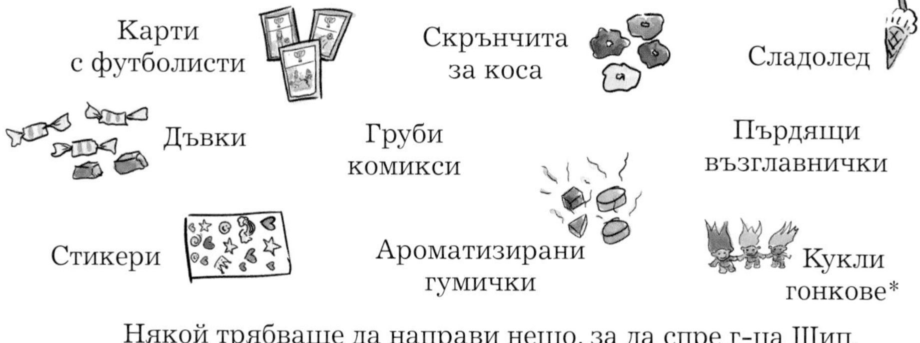

Някой трябваше да направи нещо, за да спре г-ца Шип. Единствените деца в училище СПОТИНГДЪН, които не бяха ужасени от нея, бяха близнаците Тан.

През едно междучасие двамата седяха заедно на пейката на площадката за игра и кротко си четяха. За да се „забавляват" си бяха избрали дебела книга:

КОСМИЧЕСКО ИНЖЕНЕРСТВО: Ръководство за специалисти.

Двата им чифта очи шареха по

* Помолиха ме да ви кажа, че всички тези артикули, че и още, могат да се намерят в магазинчето на Радж, много от тях – на промоция, а други – на специална промоция или дори на специална специална промоция.

страниците и поглъщаха всеки несмилаем факт. Всичко беше чудесно, докато не чуха отчетливите акорди на Петата симфония на Бетовен.

ТА-ДА-ДА-ДАМ!

Това можеше да означава само едно.

– О, не – отбеляза Тим Тан.

– О, да – отговори Том Тан.

Те вдигнаха погледи от книгата. Музиката известяваше пристигането на Шип, яхнала

ТРИКОЛКАТА НА УЖАСА.

– Космическото инженерство ще трябва да почака – каза Тим.

– Със сигурност ще се наложи – съгласи се Том.

Библиотекарката спря точно до тях, като предният ролбар се удари в колената им.

ПРААСС!

– Ооxx! – възкликна Тим.

– Уухх – съгласи се Том.

– Надявам ссе да не ссте ми одрассскали ссскутера – изсъска г-ца Шип.

– И ние. С какво можем да ви помогнем, г-це Шип? – запита учтиво Тим.

– Така, така, така – започна библиотекарката. – Какво ли е това?

В ръката си тя държеше дълъг метален шиш. На края му имаше…

ДЪМ! ДЪМ! ДЪМ!… опаковка от хамбургер.

Том погледна по-отблизо.

– Много прилича на опаковка от хамбургер, г-це Шип.

– Знам това! – сопна се тя.

– Тогава се радваме, че бяхме полезни, г-це Шип – добави Том и двамата се върнаха към книгата си. – Приятен ден.

Лицето на г-ца Шип се **вкисна**.

– **Въпросссът** е… какво правеше точно до **ссстъпалата** ви?

Близнаците Тан се спогледаха озадачено.

– Предполагам, че е била издухана до тук – допусна Тим.

Том кимна.

– Вятърът, който идва от северозападна посока, е необичайно силен днес, г-це.

– Определено няма нищо общо с нас, защото ние **никога** не сме яли хамбургери. Ядем само храна, която е полезна за мозъка. Искате ли боровинки, г-це? – попита Тим, предлагайки ѝ една от грижливо надписаната си кутия за обяд.

– Или тиквени семки? – допълни Том, като посегна към своята кутия.

– **НЕ!** – изрева Шип. Изглежда нещата не вървяха по план.

– Тази опаковка от хамбургер ***сссе*** валяше точно до ***вассс. Ссследва*** да ***ссси*** платите глобата. Това ***ссса пет лири!***

Близнаците се спогледаха и преглътнаха.

– Пет лири? – учудиха се те в един глас.

– От **всссеки**.

– Десет лири?

– ***Исссстинсссски*** гении! – подигра се тя. – ***Сссега*** плащайте, че иначе!

– Но, госпожице Шип – възпротиви се Том, – ние спестяваме всичките си джобни пари от Коледа насам!

– За книга, която изглежда доста забавна, ***КВАНТОВА МЕХАНИКА ЗА НАПРЕДНАЛИ*** – добави Тим.

– Давайте парите! Веднага! – озъби се Шип.

Близнаците изглеждаха готови да заплачат, докато вадеха еднакви портфейли от елегантните си черни куфарчета и брояха всички спестени монети.

Шип ги грабна от ръцете им.

– Ще ги взема!

После библиотекарката отпраши със скутера, като се кикотеше и размахваше триумфално шиша за боклук.

– *УСССПЕХ!* ХЕ! ХЕ! ХЕ!

БРЪМ!

Очите на горкия Тим заблестяха от сълзи.

Без да продума, Том му предложи кърпичката си. След като си избърса лицето, Тим загледа задната част на скутера на г-ца Шип, докато той се търкаляше през игрището.

– Какво е това? – попита той.

– Какво е кое? – отвърна близнакът му.

– Тази черна кутия, която е монтирала отзад.

Очите на Том се втренчиха в кутията. В основата ѝ имаше отвор, като вратичка за котки. На всеки няколко метра се отваряше и изпускаше по някой отпадък.

ИЗСССИП!

Хартийка от бонбон... ШУМУЛ!

Кутия от газирано... **ТЪРКУЛ!**

Клечка от близалка... **ЦОП!**

Пластмасова бутилка... **ТУП!**

Цилиндрична опаковка от чипс...

Това си беше **ВРАТИЧКА ЗА БОКЛУК!**

– Не вярвам на очите си, Том.

– Повярвай им, Тим, понеже и моите виждат същото.

– Самата Шип пръска отпадъците! Ама че гнусна гаднярка!

– Трябва да информираме властите.

– Шип **е** властите.

– О, да. Не можем да се оплачем от властите на властите.

– Наистина. Мене ако питаш, Том, мисля, че имам по-добра идея – заяви Тим и очите му се озариха от собствената му безспорна гениалност. – И вдъхновението ми случайно дойде от ***КОСМИЧЕСКО ИНЖЕНЕРСТВО: Ръководство за специалисти.***

Изведнъж Том осъзна за какво говори Тим. В крайна сметка, бяха **еднояйчни** близнаци.

– Да не си мислиш каквото и аз? – попита той.

– Великите умове мислят еднакво.

– Определено е така – съгласи се Том.

Близнаците се усмихнаха и продължиха да прелистват книгата си.

Двамата не бързаха с отмъщението си. Братята Тан бяха методични и искаха планът им да бъде съвършен или по-точно, съвършено подъл. Тези момчета неслучайно вземаха всички изпити със сто процента. И така, те прочетоха всяка книга за ракетната техника, изгледаха

всички документални филми за космически пътувания и даже посещаваха музеи за космоса през уикендите, докато един ден най-сетне бяха готови.

Тази сутрин близнаците Тан забелязаха

ТРИКОЛКАТА НА УЖАСА

паркирана пред дамската тоалетна до игрището. Библиотекарката бе известна с дългите си сутрешни акита* , които понякога продължаваха до късно следобед. Те бяха спокойни, че имат достатъчно време да добавят последната модификация на инвалидния ѝ скутер.

Братята Тан внимателно бяха конструирали две ракети носители. Бяха ги вмъкнали в училище в калъфите на виолончелата си. Те бързо прикрепиха ракетите към скутера на г-ца Шип.

* Дълги в смисъл на времетраене, не на дължина. Това са два съвсем различни световни рекорда. Рекордът за най-продължително акане е три дни, единайсет часа, двадесет и седем минути и осемнайсет секунди. Той е на някоя си г-ца Констанс Пейт. Рекордът за най-дълго аки е 2,7 мили. Той принадлежи на г-н Малкълм Мангъл. Интересен факт е, че двамата се срещат на церемонията за награждаване на фекални рекорди и лудо се влюбват един в друг. Сега си имат бебе и се надяват то един ден да постави нов световен рекорд за разстояние, което означава колко далеч пада акито, след като бъде изстреляно от изходното отверстие.

ДРИН! **ДРАН!** ДРЪН!

Близнаците тъкмо бяха затегнали последния болт, когато Шип излезе с препъване от тоалетната. Те се скриха зад навеса за велосипеди. Ако ги видеше извън класната стая, г-ца Шип със сигурност щеше да заподозре нещо.

Скутерът беше претърпял толкова много странни модификации през годините, че библиотекарката не забеляза новите цилиндри от двете страни. Тя преметна крак през седалката и седна зад кормилото.

Точно тогава би звънецът за началото на междучасието.

ЗЪНН!

Междувременно близнаците Тан излязоха от скривалището си и се опитаха да се държат естествено.

– Добро утро, г-це Шип! – казаха те в един глас.

– О, **това ссст е** вие, **идиотчета!** – присмя се Шип. – Дължите ми **ПАРИ!**

– Дадохме ви всичко, което имахме – отговори Том.

– Всъщност тя го грабна от нас – напомни Тим.

– Да, грешката е вярна.

Г-ца Шип присви черните си очи.

– Глобата за **замърсссяване** замърсссяване **десссет паунда.** А във вашите портфейли имаше **сссамо** девет паунда и **деветдесссет** и девет **пенссса**!

– Щом получим джобните си пари, непременно ще ви дадем оставащото пени – увери я Том.

– Винаги можем да пуснем монетата през онази вратичка там – отбеляза Тим, като посочи задницата на скутера.

– Не знам за какво говорите! – възрази библиотекарката.

– О, мисля, че знаете – отвърна Том. – Карайте внимателно.

– Или трябва да кажа „**пилотирайте** внимателно“?

– Какви ги плещите, **абсссурдни зубрачи** такива? – настоя тя.

– Всичко по реда си, г-це Шип – каза Том.

– Всичко по реда си – повтори като ехо Тим.

В този момент децата вече се изсипваха от класните си стаи на двора.

– **Купища ужасссни** деца за прегазване! ***Сссега ще*** *ссстане* забавно.

– Определено ще стане – отвърнаха близнаците с усмивка.

Шип натисна един бутон. От високоговорителите загърмя Петата симфония на Бетовен.

ТА-ДА-ДА-ДАМ!

Библиотекарката пусна спирачката. За нейна изненада двете ракети носители се запалиха.

– КАКВО, ПО...? **БАМ!**

Но преди да продължи с каквато и груба дума да беше намислила, от ракетите изригнаха огън и дим.

БУУУУУУМММ!

ТРИКОЛКАТА НА УЖАСА
бе изстреляна в небето.
ФИУУ!
– НЕЕЕЕЕ! –
изпищя г-ца Шип.
– ДА! –
заликуваха всички ученици, когато ужасната
библиотекарка профуча над главите им.
БЪЗЗЗ!

Шип се издигна високо, високо, високо отвъд облаците, озарявайки небето в червено и златисто. За секунди преодоля земната атмосфера.

БУМ

Ракетите се откачиха и се спуснаха с парашути към игрището.

БУУУФ!

Г-ца Шип продължи да се рее из пространството, отчаяно вкопчена в скутера си.

– ПОМОЩ! – пищеше тя, макар да беше толкова далеч, че никой не можеше да я чуе.

Сега, може би ще се зарадвате да узнаете, че космосът е претъпкан с боклуци. Около Земята обикалят не само метеори, но и парченца от стари космически кораби, сателити и космически станции.

– Ау! Ох! Ааах! – викаше Шип, докато всички тези чаркове се удряха в нея.

ДРЪН!

ПЛЯСС!

ТУП!

Колкото до нашите герои, близнаците Тан, все още си стояха в безопасност на земята и се взираха в небето.

– Отлична работа, Тим Тан.

– Тъкмо щях да кажа същото, Том Тан.

– Струва ми се, че тя ни нарече **ЗУБРАЧИ.**

– Няма **ПО-ГОЛЯМ** комплимент.

Те си стиснаха ръцете в чест на добре изпълнения план.

– Тиквени семки? – предложи Том.

– Не бих отказал – отвърна Тим.

Двамата се отправиха,

дъвчейки своята храна за мозъка,

към любимия си ШАХ КЛУБ.

Г-ЦА СУЕТНА,
живото произведение
на изкуството
СТРАХОТНОСТ
ЧУДЕСНОСТ
КРАСИВИНА
ГИМНАЗИЯ „СКУКА“
ИЗОБРАЗИТЕЛНО
ИЗКУСТВО

Г-ЦА СУЕТНА,
живото произведение на изкуството

Г-ца Суетна се смяташе за произведение на изкуството. Макар че с ботушите си в цвят електрик, оранжевата шапка, жълтата рокля, развяващия се розов шал и черно-белите чорапогащи приличаше по-скоро на а лакрица асорти.

Тя преподаваше изобразително изкуство в училище с име, което директно го обрисуваше: гимназия Скука.

Училището беше сиво с изключение на **един** кабинет: този по **изобразително изкуство.** Той представляваше експлозия от цветове, защото г-ца Суетна го бе превърнала в олтар на самата себе си. Стените бяха украсени с нейни портрети. Учителката „скромно“ се беше изтипосала в почти всички прочути **картини** на цивилизацията.

Ето я като *Мона Лиза* на Леонардо да Винчи.

Там пък – като *Момичето с перлената обица* на Йоханес Вермеер.

От *Автопортрет с огърлица от тръни и колибри* на Фрида Кало сега към вас надничаше лицето на г-ца Суетна.

Раждането на Венера на Сандро Ботичели беше преименувано на *Раждането на г-ца Суетна.*

В едно от цветята на Джорджия О'Кийф изведнъж бе цъфнала физиономията на г-ца Суетна.

Беше станала **плешива** за *Викът* на Едвард Мунк.

Прочутият автопортрет на Ван Гог с превръзката на ухото се бе превърнал в портрет на г-ца Суетна с лепенка на ухото.

Тамара в зелено бугати на Тамара де Лемпицка беше пресъздадена като *Г-ца Суетна в кафяво мини.* Може би най-стряскащата от всички беше г-ца Суетна на сърф, вмъкната в прочутата *Голяма вълна* на Кацушика Хокусай.

В средата на класната стая стоеше скулптура, по-голяма от естествен ръст. Тя представляваше *Давид* на Микеланджело, но с лицето на учителката и бе преименувана на *Г-ца Суетна* от самата *г-ца Суетна*.

На децата беше разрешено да рисуват единствено нея! Тя ги караше да повтарят отново и ОТНОВО, докато най-сетне уловят нейната – както се изразяваше тя – „необятеста красивина".

Горките ѝ ученици пропускаха междучасия и обедни почивки, оставаха след часовете и дори се трудеха през уикендите, докато творбите им получат нейното одобрение. Сякаш

бе египетски фараон, а те – роби, работещи денонощно, за да я обезсмъртят*.

Един ден по телевизията обявиха национален художествен конкурс за деца. Всички училища в страната бяха поканени да участват в **Състезанието за младежко екипно творчество,** накратко **СМЕТ.** Г-ца Суетна беше в учителската стая, когато видя новината.

Тя толкова се развълнува, че поля с кафето си директора, г-н Строг, от главата до петите, докато той кротко си решаваше кръстословица.

ПЛИИИС

– ПФУ!

– ДА! – възкликна г-ца Суетна. Тя заподскача из учителската стая.

– ДА-ДИ-ДЪМ-ДИ-ДЪМ-ДИ-ДА!

Скоро всички в **гимназия Скука** забелязаха колко е развълнувана.

* В Древен Египет хиляди роби загинали, докато строили пирамидите – гигантски гробници за членовете на владетелските династии. БЕЗПЛАТЕН УРОК ПО ИСТОРИЯ!

Тя се
премяташе
настрани по
коридора.
Танцуваше
из столовата.
Играеше лимбо
в библиотеката.
Подскачаше
на двора.
Биеше шутове
в кабинета по
история.
Въртеше се
във фокстрот по
футболното игрище.
ПЕРЧЕШЕ СЕ
из крилото по
природни науки.
Ситнеше в ритъма
на ча-ча-ча около
катерушката.
Подтичваше на пръсти
покрай тоалетните.

Г-ца Суетна знаеше, че това състезание може да я направи прочута. Вече щеше да е легенда не само в собственото си училище – целият свят щеше да узнае за нея. Най-сетне щеше да бъде обявена за **най-великият учител по изобразително изкуство!**

Може би щяха да съборят **гимназия Скука** и да издигнат гигантска златна статуя в нейна чест!

Правилата на състезанието **СМЕТ** бяха прости. Децата от всяко училище трябваше да работят заедно, за да създадат художествено произведение. Можеше да е картина, скулптура или каквото друго изберат. Наградената творба щеше да бъде изложена в Голямата артгалерия на академията, накратко ГАГА.

И така, сутринта, когато беше обявено състезанието, г-ца Суетна скочи радостно на сцената пред училищното събрание на **гимназия Скука**.

– Деца, това съм аз, **скромнейшата** ви преподавателка по изобразително изкуство, г-ца Суетна – започна тя.

Някои от хлапетата в залата изпъшкаха.

– **УУФФ!**

Не вярваха и на една нейна дума. Тя само се преструваше на скромна, както често правят хората. В действителност притежаваше скромността на *тиранозавър рекс*.

Други просто се прозяха.

Г-ЦА СУЕТНА, ЖИВОТО ПРОИЗВЕДЕНИЕ НА ИЗКУСТВОТО

В края на краищата учителката беше наистина умопомрачително* досадна.

– Може би сте съзрели на телевизионните си приемници в самата тази сутрин – продължи тя, – че е обявирано училищно съревнователство по изкуства. **Състезанието за младежко екипно творчество,** или накратко **СМЕТ.**

– ХА! ХА! ХА!

Вече всички деца се заливаха от смях, макар че г-жа Суетна нямаше представа защо.

– Наградата не се явяват пари или слава, които, както знаете, аз отбягвам.

Още едно изпъшкване откъм децата.

– УУФФ.

– За мен най-величавската награда е излагането! Място в ГАГА!

– ХА! ХА! ХА!

Г-ца Суетна отново **не** проумя кое е смешното.

– Сега искам всяко от вас, вдъхновителни, чуднесни, прекрастни деца, да участва в това. За да ме направи, искам да кажа, да направи **гимназия Скука** всеизвествена по всички кътчета на планетата, която наричаме Земя.

Децата **не** се зарадваха. Това значеше **още** работа за тях.

* В **гимназия Скука** имаше няколко много сериозни случая на умопомрачение от скука. Някои деца дори бяха хоспитализирани.

– Налага ли се?

– Не е честно! Постоянно ни кара да работим допълнително!

– Все тя е най-важната!

– Не може ли просто да се напъха в собствения си задник?

– По-добре да си изям чорапа.

– Чудесително! Чудесително! – извика учителката, сякаш всички я бяха аплодирали. – Така, искам вие, децата, да извикате и да ми подсказирате каква смятате, че трябва да е творилницата на нашето училище.

През залата премина вълна от въодушевление.

Това изглеждаше като чудесна възможност да се прояви НЕПОСЛУШАНИЕ! Най-хубавото беше, че ако ВСИЧКИ деца участваха, нямаше да могат да ги накажат. Не можеш да задържиш цялото училище след часовете!*

– КАКВО ЩЕ КАЖЕТЕ ЗА СКУЛПТУРА НА ГИГАНТСКИ МАРСОЛ, НАПРАВЕНА ИЗЦЯЛО ОТ СОПОЛИ? – извика един глас в дъното.

– ХА! ХА! ХА!

Лицето на г-ца Суетна се вкисна.

– Само уместнейши предложества, моля!

– НЕ! НЕ! НЕ! – подвикна някой от средата на морето от непослушание. – КАКВО ЩЕ КАЖЕТЕ ЗА МАКЕТ

* Освен, разбира се, ако си г-ца Яд, но повече за нея – по-нататък в книгата.

НА УЧИЛИЩЕТО, ИЗРАБОТЕН САМО ОТ **КИР ОТ ХОДИЛА?**

– ХА! ХА! ХА!

– Това ни най-малко не е забавствено!

– ЗНАМ! ЗНАМ!" – изрева глас отнякъде, макар че никой не беше сигурен откъде идва. – ДА НАРИСУВАМЕ ЗАЕДНО ОГРОМНА ПРЪДНЯ В РАЗЛИЧНИ ОТТЕНЪЦИ НА КАФЯВОТО!

– ХА! ХА! ХА!

– Не приемате нещата сериознически! Това е ИЗКУСТВО!

Учителката по изобразително изкуство ни НАЙ-МАЛКО се забавляваше – за разлика от всички останали в залата.

– ХА! ХА! ХА!

Дори преподавателите се кискаха. Те също я намираха за ужасно досадна.

– УСПОКОЙСТВАЙТЕ СЕ, МОЛЯ! – викна учителката. Накрая редът бе възстановен.

– Добре, добре. Така, смятам, че чухме **предостатъчно глупави** предложенства. Затова аз, г-ца Суетна, **вашата скромнейша** учителка по изкуство, ще взема **решенството**. Художествителната творба ще изобразява…

Г-ца Суетна направи дълга пауза за драматичен ефект.

– … МЕН!

– НЕ!

– НЕ СТАВА!

– УУУ!

– НЕ ОТНОВО!

– КАКВА КОЛОСАЛНА ИЗНЕНАДА! – развикаха се децата.

Дори намръщеният г-н Строг, който беше залят в учителската стая, се присъедини към хора на неодобрението.

– Ама че безподобна тъпотия! – отсъди той, докато избърсваше от ухото си последните остатъци от кафето на г-ца Суетна.

Разбира се, това беше първоначалният план на учителката по изкуство: творбата да представя НЕЯ!

– **Чудесително**. Значи, решено е! Ще се събирателстваме на територията за игране през **всяко** междучасие и **всяка** обедна почивка, докато **приключираме!**

– УУФФ! – изпъшкаха децата.

– Гимназия Скука! Заедностно, ще достигнем звездите!

С тези думи учителката изпълни малък пирует.

ЗЪНН!

ФИУУУУ!

Би звънецът за първия час за деня и децата започнаха да се изнизват. Несигурна как да продължи след пируета, г-ца Суетна зае поза и застина неподвижна като статуя.

Това беше странно предизвестие за последвалите събития.

След забавленията на училищното събрание още през първото междучасие децата бяха впрегнати на работа. Г-ца Суетна ги напътстваше от малък дървен подиум в средата на площадката за игра.

– Художественото произведение ще бъде изработствано от папиемаше! – обяви г-ца Суетна. Разбира се, произнесе „папие“ с фалшив френски акцент, макар че спокойно можеше да го каже на английски. По същия начин произнасяше изрази като „кюл дьо сак“, „лиезон“ и дори „кремм“. Беше едно от нещата, които я правеха може би най-досадната личност на планетата Земя.

* *От фр. език:* cul-de-sac - задник, liaison - гадже и crème - крем.

– Ние, е, искам да кажа, *вие* ще работите **заедностно** за да изваете гигантска скулптура от папиемаше на моя милост, най-обичната ви учителка по изобразително изкуство, г-ца Суетна!

Тя бе събрала всичко, което щеше да потрябва на децата. Имаше бои и четки, висока купчина стари вестници, руло телена мрежа и **огромна** кофа лепило за тапети.

– **Простесто е,** деца. Досега **хилядиони** пъти сте правили модели от папиемаше. Ние, искам да кажа, **вие** ще

построирате модела, а после ние, ВИЕ, ще го боядисате. ХАЙДЕ СЕГА! ЧЕВРЪСТВАЙТЕ!

Децата изпъшкаха.

– УУФФ!

Наложи им се да работят през междучасията и обедната почивка, а после след часовете, докато се стъмни. Това продължи с дни, седмици и месеци. Г-ца Суетна отхвърляше всичките им опити.

– НЕ! НЕ! И НЕ! – крещеше тя. – НЕ СТЕ УЛОВИЛИ МОЯТА КРАСИВИНА! ОТНАЧАЛО! ОТНАЧАЛО!

Излишно е да уточняваме, че на децата скоро им писна и те започнаха да замислят таен план как да се отърват от учителката си по изобразително изкуство. Всичко

започна, както повечето тайни планове, с Алексина – високото слабо момиче с коса като пламък, доста популярно като **най-непослушното** хлапе в **гимназия Скука**.

– Госпожице? – поде момичето през една обедна почивка месеци след като бяха започнали работа по творбата за състезанието **СМЕТ**.

– Да, сега, хмм, не ми казвай – отвърна учителката, докато се кипреше. – Гордея се, че съм **запаметирала** имената на всички ученици в **гимназия Скука**. Колин?

– Не! – отговори момичето.

– Тревър?

– **НЕ!**

– Мохамед?

– **НЕЕ!** Алексина съм.

– О, да, разбира се. Много подобнесто звучи с Мохамед. Моля те, **продължирай**...

– Благодаря ви, госпожице – подсмихна се момичето. – Ами, ние, децата, се замислихме. Все не се справяме с хартиената статуя. Опитваме отново и отново, и **ОТНОВО**.

– И **ОТНОВО** – добави учителката.

– Това е, защото изработваме основата от телена мрежа, а телената мрежа никога няма да може да изобрази вашата необятностна красивост...

– Вярнесто, вярнесто – разсъди г-ца Суетна. – Напълнително вярнесто.

– Щеше да е толкова по-правдоподобно, ако можехме да използваме ВАС за основа.

Алексина погледна свирепо към останалите деца. Никой не трябваше да се изкиска, иначе щяха да се издадат. Междувременно на лицето на г-ца Суетна се изписа загриженост, докато тя обмисляше плана.

– МЕН?

– Да, вас – отговори момичето.

За късмет на хлапетата суетността на учителката надделя.

– Това е великолепствена идея! – изгука тя и сключи длани в очакване. – Хайде да ме превърнем в произведение на ИЗКУСТВОТО!

С очевидно удоволствие децата започнаха да късат още ивици от вестниците... *Хряс!*

... и да ги топят в кофата с лепило за тапети.

След това нетърпеливо се събраха около преподавателката си, готови да започнат.

– ЧАКАЙТЕ! – извика тя.

– Не! – изсъска Алексина. – Разкрити сме!

– Трябва да **позирувам**.

Учителката започна да изпробва някои от специалните си **пози**.

Първата беше със

олицетворение на добротата.

Последва поза с

поглед, вперен в хоризонта,

с очи, заслонени от слънчевите лъчи, сякаш се взира в бъдещето.

После се престори, че

размишлява дълбоко,

подпряла брадичка на ръката си.

Но никоя от тези пози не изглеждаше правилната.

– Деца, коя поза според вас най-добре изразява моята **скромностност?**

Учениците се зачесаха замислено по главите*.

– Имам **идея!** – възкликна Алексина.

– Да, Колин. Искам да кажа Тревор. Имам предвид Мохамед. ДЕЙВ! Така беше! ДЕЙВ!

– Та коя поза е по-скромна от... **клекналата!**

– **Клекнала!** Каква **великолепствена моя** идея! – с тези думи учителката бавно приклекна.

В тази поза изглеждаше, сякаш се готви да се облекчи в дупка на земята. След няколко секунди г-ца Суетна отбеляза:

– Оох, не е много удобно.

– Ще бъдем възможно най-бързи! – отвърна Алексина и заподканва децата наоколо.

И колкото можеха по-чевръсто децата от **гимназия Скука** започнаха да облепват учителката си по изобразително изкуство с потопени в лепило ивици вестник.

ШЛЯП! ШЛЬОП! ШЛЮП!

– Ох! Ох! **Ох!** – викаше тя всеки път, когато я шляпнеше нов къс прогизнала хартия.

* Всеки чешеше собствената си глава. Иначе щеше да е странно.

Скоро г-ца Суетна бе покрита от глава до пети.

– Искам тази моя статуя от папиемаше да бъде **гигантическа** – обяви тя с глас, леко приглушен от влажната хартия. – За да покаже, че съм **гигант** сред учителите, имам предвид скромностно.

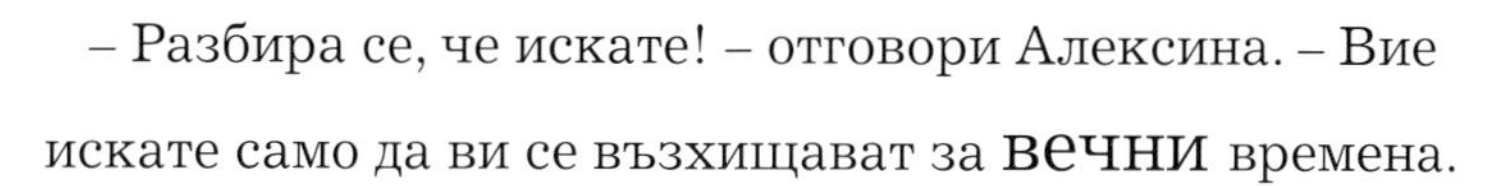

– Разбира се, че искате! – отговори Алексина. – Вие искате само да ви се възхищават за **вечни** времена.

– Именно!

– Какво може да е по-скромно от това? Хайде, банда! Да приключим с тази олелия веднъж завинаги!

Статуята растеше ли, растеше и растеше, докато се ИЗВИСИ колкото сградата на училището.

Денят беше слънчев, затова лепилото за тапети, което е доста воднисто, изсъхваше бързо.

– Сега се уверете, че статуята показва и вътрешностната, и външностната ми красивина. Е, главно външностната! – долетя приглушен глас изпод цялото папиемаше.

Сега можеше да започне истинското забавление!

С помощта на стълби, взети назаем от портиера, децата започнаха да боядисват статуята. Когато стигнаха до лицето, Алексина се погрижи изражението да е **напрегнато,** за да изглежда, сякаш учителката всъщност, по липса на по-учтив израз, снася шоколадово яйце.

Когато би звънецът за край на обедната почивка…

ЗЪНН!

… произведението най-накрая беше завършено.

– Как изглеждам? – чу се изключително приглушен глас отвътре.

– КРАСИВО! – отговориха в хор децата.

– Идеално. Аз, искам да кажа, *ние* ще спечелим състезанието! Ще бъда обезсмъртена в ГАГА! Сега трябва само да се измъкна оттук.

Почакайте! Почакайте! АЗ СЪМ В КАПАН! НЕЕЕЕЕ!

– Съжалявам, госпожице! – отвърна Алексина. – Трябва да влизаме в час! Не бива да закъсняваме!

– ХИ ХИ! ХИ! – закикотиха се децата.

Вместо да влезе право в час, Алексина се отби в кабинета на директора.

ЧУК! ЧУК! ЧУК!

– Един момент! – подвикна г-н Строг и бързо скри пъзела под бюрото си. – Влезте!

– Благодаря ви, господине. Сигурно ще се радвате да узнаете, че творбата ни за онова състезание **СМЕТ** най-после е завършена!

– НАЙ-СЕТНЕ! Тази сага се точи от цели седмици.

– Месеци, господине.

– Наистина ли? Е, щом е готово, г-ца Суетна би трябвало да миряса за малко. Много добре, дете. Ще се погрижа веднага да я откарат. Така ще можем отново да използваме площадката за игра.

– Благодаря ви, господине.

– Сега тичай в час. Добре де, не тичай. Просто върви целенасочено.

– Добре, господине.

Щом тя напусна стаята, г-н Строг веднага се върна към пъзела си.

Това, което Алексина пропусна да му каже, разбира се, беше, че г-ца Суетна е още вътре в скулптурата!

Всички деца се залепиха за прозорците на класните стаи, когато чуха огромен камион да се приближава към площадката.

БРЪМ!

БИИП! БИИП БИИП!

Статуята беше натоварена на камиона.

После я откараха.

БРЪМ!

– ХИ! ХИ! ХИ! – кикотеха се децата, докато тя изчезваше през портала на училището. Съучениците на Алексина я тупаха по гърба, което я накара да грейне от гордост.

Седмица по-късно по телевизията щяха да обявят победителя в националното състезание по изобразително изкуство. Цялото училище се събра в залата да гледа.

– Творбата, която ще бъде изложена за постоянно в ГАГА, е – водещият направи пауза за драматичен ефект – **Клекнала учителка по изкуство** от децата в **гимназия Скука**!

Всички заликуваха.

– УУРРАА!

Най-шумна беше Алексина.

Даже г-н Строг леко подрипна и подскочи.

– УУРААА!

Един глас обаче необичайно мълчеше: този на г-ца Суетна. Учителката отсъстваше вече няколко дни.

После дните станаха седмици, седмиците – месеци, а месеците – години. Само хлапетата от **гимназия Скука** знаеха, че преподавателката им по изобразително изкуство е запечатана в собствената си статуя.

И така, ако от вашето училище посетите Голямата артгалерия на академията, или ГАГА, непременно допрете ухо до статуята, спечелила СМЕТ – **Клекнала учителка по изкуство** от децата в **гимназия Скука**. Може да чуете как един приглушен глас се оплаква отвътре: – ПОМОЩ! ПОМОЩ! ИЗВАДЕТЕ МЕ! НЕ МОГА ДА ЗАДЪРЖАМ ТАЗИ ПОЗАЦИЯ ОЩЕ ДЪЛГОТРАЕЩО!

Мечтата на г-ца Суетна се сбъдна.

Учителката се превърна в произведение на изкуството.

Огромно и акащо!

Д-Р УЖАС
и креслото
на хилядата пръдни
ПРЪДНИ
ПРЪДНИ
ОЩЕ ПРЪДНИ
УЧИЛИЩЕ „ГРЪНДЖ ХИЛ“
ЧОВЕКЪТ И ПРИРОДАТА

Д-Р УЖАС
и креслото
на хилядата пръдни

Това е ИСТОРИЯ НА УЖАСА.

Осмелявате ли се да продължите да четете?

Не? Тогава отгърнете на следващия разказ.

Да? Бяхте предупредени, не ме обвинявайте, ако получите

КОШМАРИ!

Д-р Ужас беше най-ужасяващият учител, стъпвал някога по земята.

Той бе наполовина човек и наполовина ЧУДОВИЩЕ.

Учителят по човекът и природата се наслаждаваше на собствената си чудовищна външност. Той изпитваше удоволствие от факта, че всички деца в ГРЪНДЖ ХИЛ треперят при вида му. Подсмихваше се самодоволно, когато те отскачаха от пътя му.

Лицето на д-р Ужас беше постоянно сгърчено, като гневен орех, стиснал монокъл. Изглеждаше, сякаш има само едно изцъклено око, като ЦИКЛОП.

Той имаше дълги рижи бакенбарди, плъзнали надолу чак до брадичката му. От носа и ушите му стърчаха рижи снопчета като пламъци на ГОРСКИ ПОЖАР.

Зъбите му бяха дълги и заострени като на ХИЩНИК.

Носът му беше развъдник на брадавици.

Той винаги носеше една и съща **БЯЛА** лабораторна престилка. Само че тази **БЯЛА** престилка всъщност не беше **БЯЛА** от векове насам, понеже никога не я переше. Тя бе толкова зацапана с **мръсотия** и **мазнина**, че всъщност беше **ТЪМНОКАФЯВА.** На нея имаше толкова много петна…

… че ако я потопяхте в кипяща вода, сигурно щеше да се получи супа*.

Д-р Ужас се обуваше със сандали, за да може да показва **отвратителните пръсти** на краката си. Те изглеждаха страховито, с остри като на граблива птица нокти, отворени рани и зловонна **кир.**

* Супа, която готвачката г-жа Пльок вероятно би сервирала. Повече за нейната злъч – по-нататък в книгата.

Когато д-р Ужас оценяваше домашното ви, то се връщаше **омазано** с какви ли не гадории:

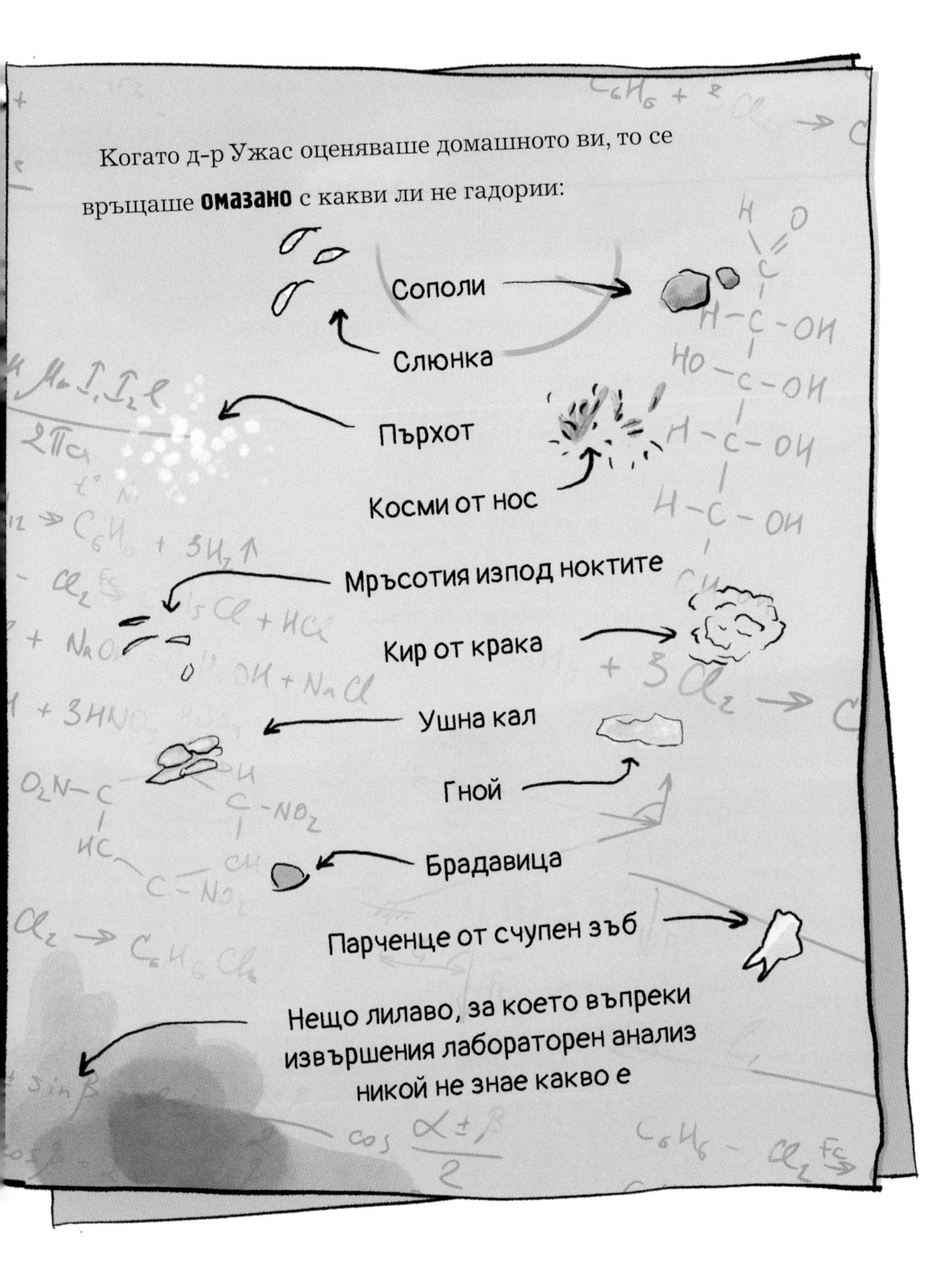

Дотук – **ЧУДОВИЩНО.** Но аз още дори не съм ви разкрил най-ужасяващото качество на д-р Ужас.

Неговите газове.

ПРЪЦ!

Той пръцкаше ПОСТОЯННО. „Надуваше тромпета" толкова често, че сякаш изобщо не прекъсваше.

ПРРРРРЪЪЪЪЪЪЦЦЦЦЦ!

Времето, през което д-р Ужас не пърдеше, беше по-малко от това, през което го правеше.

И най-лекото движение беше достатъчно, за да накара учителя да изпусне **отровния си газ...**

Сядане...

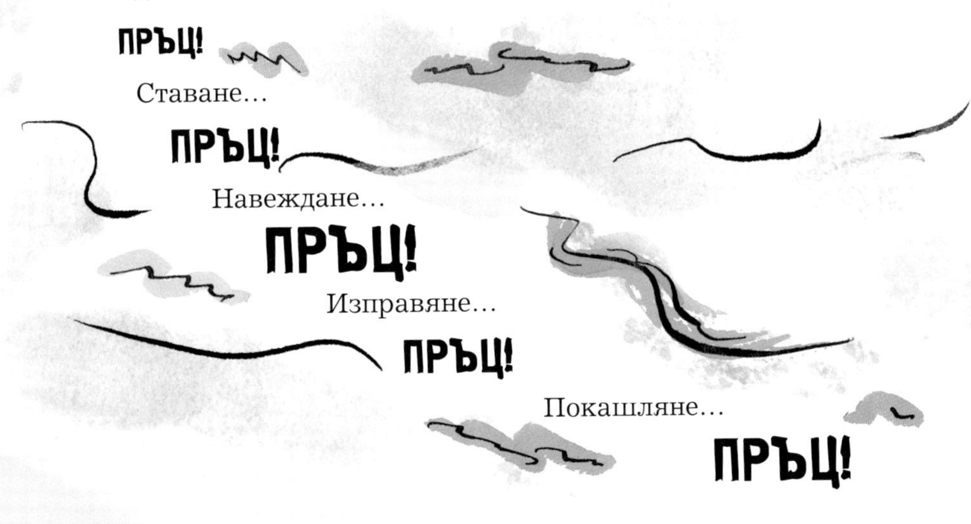

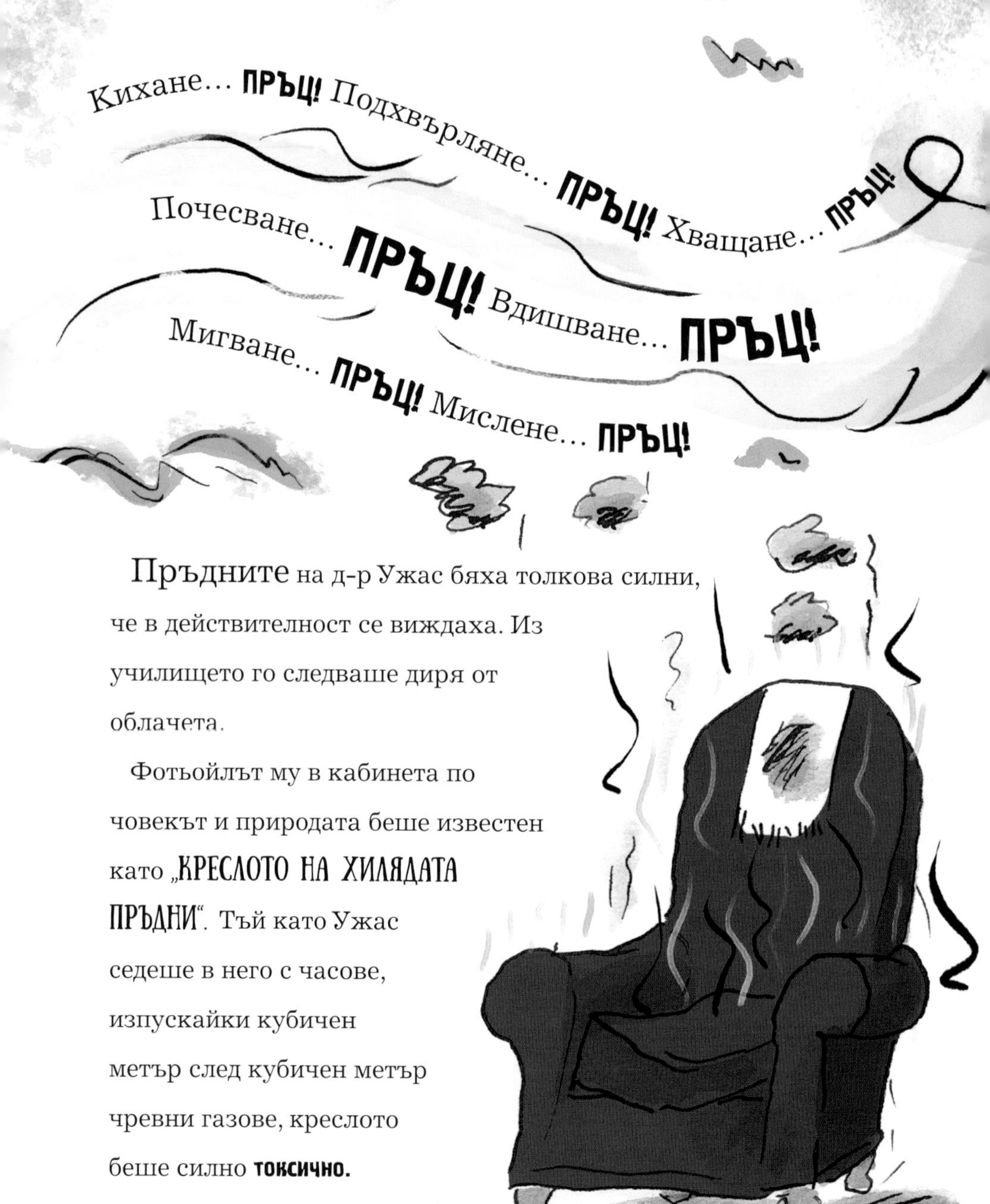

Пръдните на д-р Ужас бяха толкова силни, че в действителност се виждаха. Из училището го следваше диря от облачета.

Фотьойлът му в кабинета по човекът и природата беше известен като „КРЕСЛОТО НА ХИЛЯДАТА ПРЪДНИ“. Тъй като Ужас седеше в него с часове, изпускайки кубичен метър след кубичен метър чревни газове, креслото беше силно **ТОКСИЧНО.**

Веднъж едно момиче си доближи носа досами седалката заради някакъв бас. То незабавно припадна и се свлече на пода.

Когато не успяха да го свестят, извикаха линейка.

ИИИ-УУУ! **ИИИ-УУУ!**

Момичето бързо бе откарано в болницата и там прекара една седмица в изолатора.

Б И И П !

Б И И П ! Б И И П !

Месеци по-късно детето се върна на училище, но вече не беше същото. По време на урок просто седеше най-отзад и тихо се полюшваше с втренчен напред поглед, а в очите му се четеше неописуем

УЖАС.

И така, ако някой ученик сгазеше лука в часа по човекът и природата на д-р Ужас, той го караше да седне в личното му **КРЕСЛО НА ХИЛЯДАТА ПРЪДНИ!**

– Не! Не! – развикваше се детето. – Не и КРЕСЛОТО НА ХИЛЯДАТА ПРЪДНИ! Само това не!

Доктор Ужас се ухилваше, оголвайки острите си кучешки зъби.

– Да, момче. Ела тук – казваше той с подканващ жест, докато се надигаше от креслото и разбира се, оставяше зад себе си едно последно кафяво облаче.

ПРЪЦ!

После отвеждаше детето до креслото и му нареждаше:

– СЕДНИ!

То неохотно се подчиняваше. Целият клас се втренчваше в горката жертва на д-р Ужас, докато пръдните бавно я обгръщаха*.

– ААХХ! – крещеше наказаният, а д-р Ужас се кикотеше ЗЛОВЕЩО.

– ХЪ! ХЪ! ХЪ! Така, кой друг смее да говори в часа ми?

И се възцаряваше ТИШИНА!

* Или „обпръцваха“.

Един ден в ГРЪНДЖ ХИЛ пристигна момче, което щеше да се превърне в най-големият враг на учителя, момче, толкова отвратително, че пред него д-р Ужас изглеждаше като красива *принцеса*. Може и да си мислите, че е невъзможно, но грешите. Това е, защото не сте срещали **Мочур.**

Мочур изглеждаше, сякаш не се родил, а е изплувал от някое блато.

Никой не знаеше дали **„Мочур“** е истинското му име, но със сигурност му отиваше. Също като мочурище, той беше влажен и кален. Имаше червеи в джобовете, клечки и листа в косите и мъх, растящ от ушите. Когато вървеше, се чуваше жвакане.

ЖВАК! ЖВАК! ЖВАК!

Мочур не само беше отвратителен на вид, но и ЛОШ. Той незабавно се прочу като най-лошото дете в училището.

Мочур никога, ама никога не си пишеше домашните.

Оправданието му?

– Изядох го!

Което беше истина. Когато учителят се ядосаше, **Мочур** пръхтеше от смях.

– ПРЪХ! ПРЪХ! ПРЪХ!

Той отмъкна ролките хартия от всички тоалетни в училището. После уви в тях учителя по история, г-н Отживял, докато той дремеше, така че заприлича на египетска мумия.

– ХЪРРР! ХЪРРР! ХЪРРР!

– ПРЪХ! ПРЪХ! ПРЪХ!

После открадна книги от библиотеката и скъса всичките страници, за да си изтрие задника, макар че обикновено никога не го бършеше!

– ПРЪХ! ПРЪХ! ПРЪХ!

Сложи гърчещи се и извиващи се червеи в обувките на момичетата, които играеха нетбол навън. Когато отново ги нахлузиха на краката си, те бяха ужасени.

– ААХХ!

– УЖАС!

– НЕЕЕ!

– ПРЪХ! ПРЪХ! ПРЪХ!

Изпусна въздуха от всички футболни топки и го замени със собствените си газове, така че всеки път, когато някой ритнеше топката, тя замирисваше.

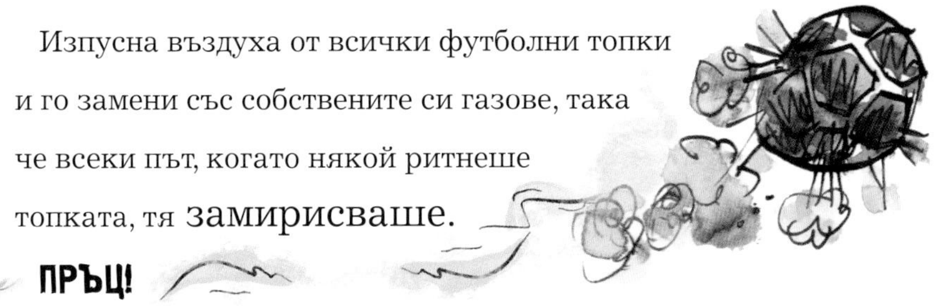

ПРЪЦ!

– ПРЪХ! ПРЪХ! ПРЪХ!

Секна се на пода точно пред тоалетната на момчетата, докато не образува голяма локва. После се скри зад шкафчетата и задебна, докато момчетата едно по едно се подхлъзваха и падаха по задник.

ХЛЪЗЗ!

– УФФ!

– ПРЪХ! ПРЪХ! ПРЪХ!

Започна бой с топки от картофено пюре в столовата. **Мочур** се погрижи всяко дете да бъде ударено с топка пюре право в лицето.

ШЛИП! ШЛЯП! ШЛЬОП!

– ПРЪХ! ПРЪХ! ПРЪХ!

Задигна кофа лилава боя от кабинета по рисуване. После боядиса задните си части в лилаво и покри стените с отпечатъци от тях.

ПЛЬОК!

– ПРЪХ! ПРЪХ! ПРЪХ!

Пусна хлъзгав, плъзгав, слузест плужек в яката на председателя на ученическия съвет.

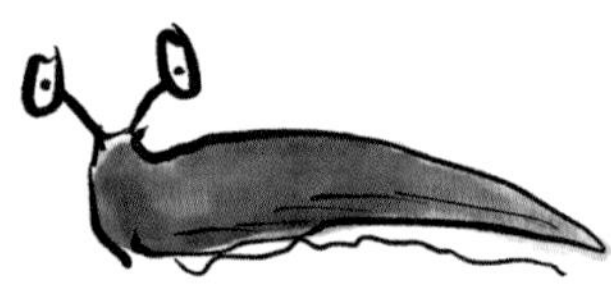

– АУУУ!

– ПРЪХ! ПРЪХ! ПРЪХ!

Подмами няколко по-малки деца да глътнат ЖИВИ ПОПОВИ ЛЪЖИЧКИ, като ги излъга, че са вкусни шоколадови дражета.

– ППФФУУ!

– ИСКАМ МАМА!

– БУУ! ХУУ! ХУУ!

– ПРЪХ! ПРЪХ! ПРЪХ!

Мочур обаче пазеше най-лошото си поведение за часовете по човекът и природата. Разбираше, че д-р Ужас му е равностоен противник, и се беше нахъсал да го надмине.

Ако момчето получеше предупреждение да НЕ разлива бълбукащата течност, която държи, за да не прояде работния плот, то я изсипваше право върху него.

ФССССС!

Ако на **Мочур** му се наредеше да НЕ залепва железни стружки за лицето си като клоунска брада, той въпреки всичко го правеше.

– ТА-ДА!

Ако **му** се кажеше НИКОГА да не смесва две киселини, защото ще се получи експлозия, той правеше точно това.

БУУУУМ!

– МОЧУР! – изрева един следобед д-р Ужас, обсипвайки целия клас със слюнката си. – Загазил си много, много надълбоко!

– Какво съм направил пък сега, г-не? – отговори **Мочур** с насмешлива усмивка.

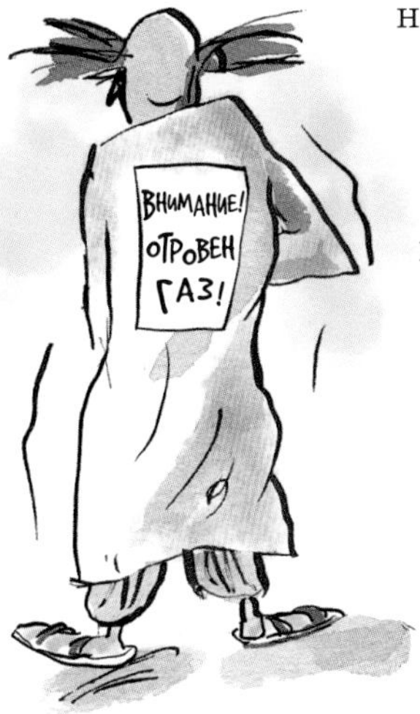

– Залепил си този лист хартия на гърба ми!

Д-р Ужас се обърна. На престилката му имаше надпис: **ВНИМАНИЕ! ОТРОВЕН ГАЗ!**

Останалите деца в стаята изхихикаха конфузно.

– ХИ! ХИ! ХИ!

– ТИХО! – прогърмя учителят.

Настъпи тишина. Ужас продължи:

– Мочур, имам идеално наказание за теб. То безотказно кара и **най-непослушните** хлапета да избухват в сълзи. **Мочур!** Заповядвам ти! Трябва да дойдеш и да седнеш на моето **КРЕСЛО НА ХИЛЯДАТА ПРЪДНИ!**

ХЪ! ХЪ! ХЪ!

Докато учителят се надигаше от фотьойла си, всички очи в кабинета по човекът и природата се обърнаха към дъното на стаята. За изненада на целия клас на лицето на **Мочур** имаше широка усмивка.

– С удоволствие, г-не – отвърна весело момчето. С тези думи то скочи от столчето си и изтича отпред. Преди Ужас да успее да му нареди „СЕДНИ!“, то вече се беше тръшнало в креслото.

ПЛЬОС!

– МММ! – въздъхна **Мочур** и изду ноздри да се наслади на миризмата като анимационно хлапе в реклама по телевизията. – Какъв възхитителен аромат.

Д-р Ужас изглеждаше объркан.

– Но, момче! Това е ужасяващото КРЕСЛО НА ХИЛЯДАТА ПРЪДНИ! – извика той.

Сега на лицето на **Мочур** се изписа тихо съсредоточаване. После изпод него се разнесе тръбен звук.

ПРЪЪЪЪЦ!

– Да ги направим хиляда и една, г-не!

– ХИ! ХИ! ХИ! – изкискаха се децата.

– ТИШИНА! – прогърмя Ужас.

Това само ги накара да се засмеят повече.

– ХА! ХА! ХА!

– Казах „ТИШИНА!“.

Беше твърде късно. Ужас беше изпуснал юздите на класа.

– ВЪРНИ СЕ НА МЯСТОТО СИ ВЕДНАГА! ВЕДНАГА! – изрева той.

Момчето скокна и с пружинираща походка се върна на столчето си. Учителят, поразен, се свлече отново в своето КРЕСЛО НА ХИЛЯДА И ЕДНАТА ПРЪДНИ. И сякаш това не бе достатъчно лошо, започна да се задушава.

– ЪЪХХ!

Той се хвана за гърлото…

– ХЛЪЦ! ХЛЪЦ! ХЛЪЦ!

… и повърна.

– Б-Л-Ъ-В!

Вонящата бомба, оставена от **Мочур,** беше **СМЪРТОНОСНА.** Беше много по-лоша от собствените

му облачета смрад. В сравнение с нея те миришеха като най-сладкия парфюм*.

ЗЪННН!

Би звънецът за края на часа и все още задушаващият се д-р Ужас се смъкна на пода.

ПЛЛЪЗ!

Проснат в локва от собствената си слюнка, страховитият доскоро учител се зарече да направи нещо, каквото и да е, за да си

ОТМЪСТИ.

* За ваша информация този парфюм е всъщност моята собствена миризма. *Дъх на Уолямс*, 99 пенса за галон.

Затова тази вечер, когато се върна в своя апартамент на приземния етаж в покрайнините на града, той докуца право в свръхсекретната си лаборатория дълбоко под земята. Там, на светлината на свещите, започна да измисля куп **НОВИ** наказания, всяко от които много по-смъртоносно от **КРЕСЛОТО НА ХИЛЯДА И ЕДНАТА ПРЪДНИ**. Ужас направи чертежи на машините на черната дъска и започна да събира всички необходими чаркове. Пъхна края на сгъваща се сламка в ухото си и изсмука цялата жълтеникава ушна **кал**.

ССМУК!

После я оформи на топчета.

След това напъха сламката в ноздрите си, за да извлече **сополите** до последната капка.

СРЪЪБ!

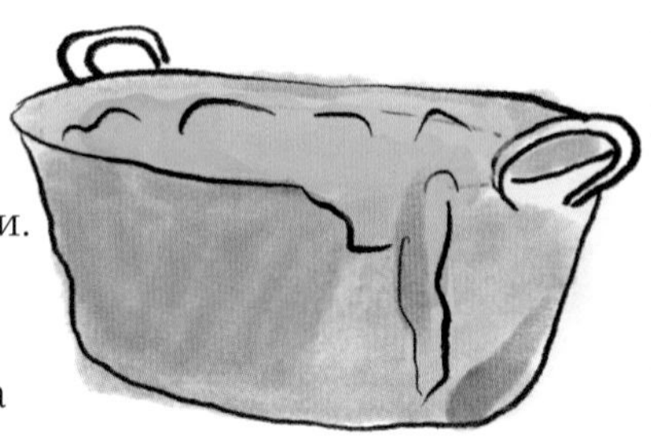

Ужас събра цели ГАЛОНИ сополи и напълни догоре три стари тенекиени вани.

Учителят работи цяла нощ. Призори най-сетне беше приключил и бе готов да стовари тези наказания върху **Мочур.**

– ХЪ! ХЪ! ХЪ! – кикотеше се той.

Беше решен да даде урок на проклетото момче веднъж завинаги.

З Ъ Н Н !

Удари звънецът за първия учебен час и за **Мочур** той беше човекът и природата. Ужас се подсмихна насмешливо, когато момчето влезе с жвакане в класната стая.

ЖВАК! ЖВАК! ЖВАК!

То изобщо не подозираше какво го чака.

Само че **Мочур** имаше собствен ПЛАН. Под чина си в дъното на стаята беше започнал да смесва тайно в един съд някои от най-лепливите химикали. Момчето искаше да забърка най-лепкавата, най-лигавата слуз, с която да залепи учителя си за фотьойла му! Щеше да го прикове в КРЕСЛОТО НА ХИЛЯДА И ЕДНАТА ПРЪДНИ завинаги!

ТОЙ изобщо не подозираше какво ГО чака!

Със зоркия си поглед Ужас забеляза, че врагът му крои нещо.

Отлично!

Сега можеше да засипе момчето с потоп от ЗЛОВЕЩИ наказания.

– Пак ли не внимаваш, **Мочур?** – попита Ужас от мястото си пред класа.

– К'во, г-не? – отвърна **Мочур,** опитвайки се да скрие какво прави. Не искаше да развали изненадата!

– Именно – промърмори учителят и на лицето му се разля жестока усмивка. – ЕЛА ТУК!

Той го повика с дългия си, тънък пръст.

Момчето незабавно скри съда с лепилото в джоба на сакото си и зажвака към предната част на стаята.

ЖВАК! ЖВАК! ЖВАК!

Всички други деца прекратиха заниманията си и се зазяпаха. Какво щеше да стори най-лошият учител на света на най-лошото дете?

– Ето, момче – учителят повдигна хартиен плик. – Тъй като отново не слушаше, трябва да изядеш едно желенце от моя **ПЛИК НА СМЪРТТА! ХЪ! ХЪ! ХЪ!**

Мочур надникна в пликчето към купчинката жалко изглеждащи меки и лъскави „бонбони“.

– ПЛИК НА СМЪРТТА!

От какво са направени? – попита подозрително момчето.

– Опитай едно и познай.

Мочур сви рамене и порови из плика, после лапна едно.

– Малко ми киселеят – отбеляза той.

– Това, **Мочур** – поде Ужас, – е, защото са направени от собствената ми ушна кал!

– ПФУУУ! – отвратиха се всички ученици в класа.

Не и **Мочур.** Момчето бръкна в пликчето и лапна още един бонбон.

– Екстра!

После то си взе цяла шепа и я натъпка в джоба на панталоните си.

– Тези ще ги изям после за закуска.

Учителят удари раздразнено по бюрото си.

ТУПП!

Ужас обаче беше планирал още наказания.

– Няма значение, момче – изръмжа той. – Иди и застани в ъгъла.

Мочур го послуша.

– Надявам се да не вали... СНЯГ! – обяви учителят.

– Сняг? Вътре ли, г-не?

– Да! Вътре! Когато се запознаеш с...

КОФАТА НА НЕЩАСТИЕТО! ХЪ! ХЪ! ХЪ!

Той дръпна едно въже на стената, което изпразни стара ръждива кофа, скрита над главите им. От нея се развихри снежна буря.

ФИУУУ!

За нула време момчето бе покрито от главата до петите с бели частици. Изглеждаше като снежния човек*.

* Друго име за Йети. Много хора вярват, че рядко забелязваното подобно на маймуна планинско създание е измислено, но аз веднъж го видях да си купува консерва с печен боб в кварталния ни супермаркет. Сега ми се ще да го бях помолил за селфи.

– Обичам сняг, г-не! – възкликна **Мочур.** Той изплези език, за да го вкуси. – Само че няма вкус на сняг.

– Това е, защото е направен от собствения ми пърхот!

– ГАДОСТ! – възкликна целият клас.

– О, добре. Трябваше ми малко пърхот за запас. Моят съвсем свърши.

С тези думи **Мочур** започна да събира с шепи от праха и да посипва главата и раменете си с него.

– Фантастично. Благодаря ви, г-не!

Учителят затропа безсилно с крак.

ТРОП! ТРОП! ТРОП!

– Щом **ПЛИКЪТ НА СМЪРТТА** и **КОФАТА НА НЕЩАСТИЕТО** не можаха да те поставят на колене, това със сигурност ще успее. Изправи се пред **МАРКУЧА НА УЖАСА!**

ХЪ! ХЪ! ХЪ!

После Ужас вдигна маркуч, свързан с огромен цилиндър, който беше прикрит зад бюрото му. Учителят завъртя струйника и изстреля ПОТОК от **слуз** право върху **Мочур.**

ПЛЛИСС!

За секунди момчето бе покрито от глава до пети със зеленикаво-кафеникаво-жълтеникава **тиня.** Тя се състоеше главно от сополи, но дявол знае какво друго беше добавил в сместа лошият доктор.

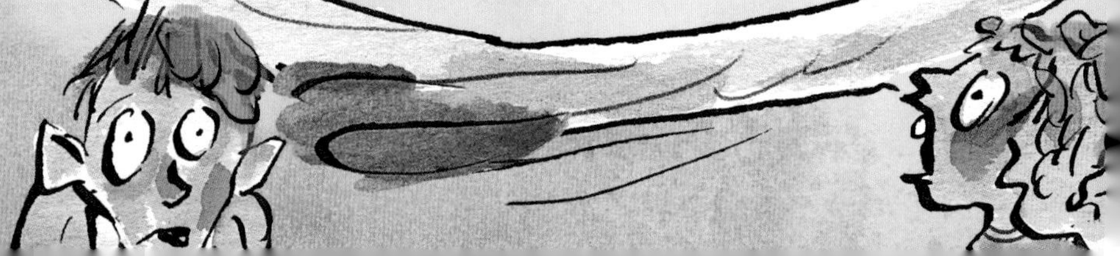

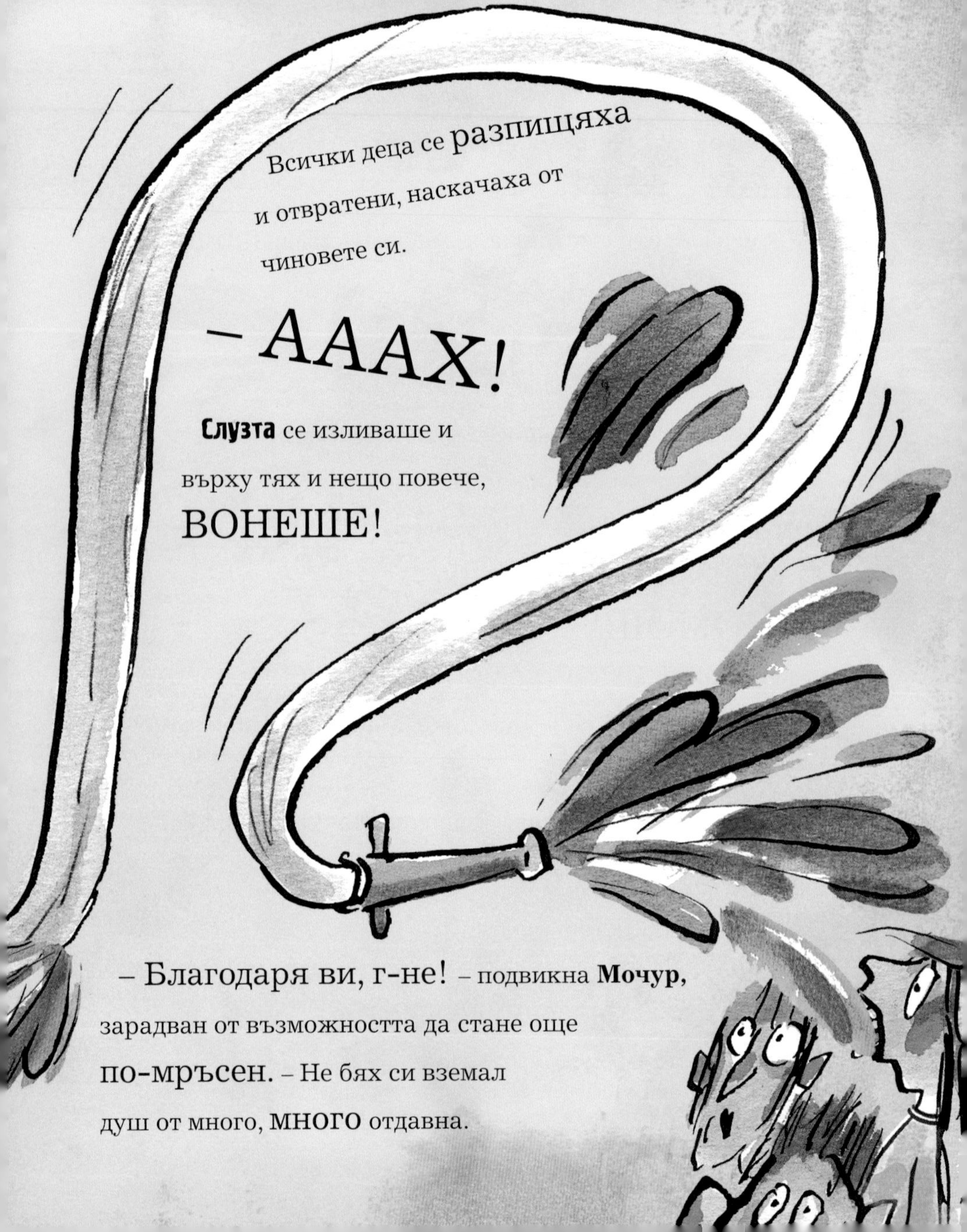

Всички деца се разпищяха и отвратени, наскачаха от чиновете си.

– АААХ!

Слузта се изливаше и върху тях и нещо повече, ВОНЕШЕ!

– Благодаря ви, г-не! – подвикна **Мочур**, зарадван от възможността да стане още по-мръсен. – Не бях си вземал душ от много, МНОГО отдавна.

Мочур започна да се трие с ръце, сякаш се мие.

– Предполагам, че не си го правил НИКОГА! – възкликна учителят. – Всъщност сега ще ти устроя и вана!

Ужас развъртя струйника и лепкавата маса заблика с плашеща скорост.

ПЛИИСС!

Докато слузта запълваше кабинета по човекът и природата, всички останали ученици се хвърлиха към вратата, за да избягат.

– ИЗЛИЗАЙТЕ!

– ПОМОЩ!

– МИСЛЯ, ЧЕ ТРЯБВА ДА ПОВИКАМЕ ИНСПЕКТОРИТЕ*!

Сега Ужас и върховният му враг, **Мочур,** останаха сами. И двамата бяха до кръста в **слуз.**

– О, за малко да забравя! – започна **Мочур** с усмивка. – Нося си специален шампоан, г-не. Искате ли да го изпробвате?

Той бръкна в джоба на сакото си и извади кутийката с лепкаво, лепливо, лепящо лепило.

* Национален инспекторат по образованието е организация на училищните инспектори. Ако някой ден те посетят вашето училище и вие искате то да бъде затворено, достатъчно е да направите следното: вървете срещу тях бавно, с протегнати ръце и пъшкайте: „Всички учители са човекоядни зомбита! БЯГАЙТЕ! БЯГАЙТЕ! СПАСЯВАЙТЕ СИ ЖИВОТА!“

Ужас надуши нещо гнило! Май беше в капан.

– Това не изглежда като шампоан! Дай ми го, момче!

Учителят понечи да го грабне, но двамата се сборичкаха.

– ТО Е МОЕ, Г-НЕ!

– КАЗАХ „ДАЙ МИ ГО“!

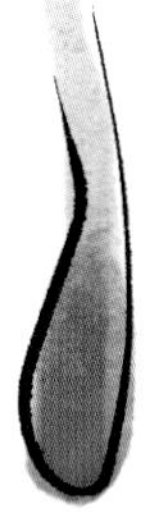

Главите им се **ударнха** една в друга.

ПРАС!

А лепилото се плисна и върху двамата.

ПЛЬОК!

– О, не! – възкликна **Мочур,** опитвайки се да си размърда главата.

– Какво?

– Мисля, че се залепихме един за друг!

Главите им се бяха ударили една в друга

и сега не искаха да се раз-ударят!

– Това не е шампоан, г-не.

– Досетих се.

– Това е най-супер-дупер-упер-якото лепило на света.

– Силно се съмнявам невежа като теб да е способен да изобрети подобно нещо! – обяви Ужас.

Напрягайки всичките си сили, учителят се опита да се освободи.

– ЪЪЪЪХХХХ!

Нямаше полза обаче.

З Ъ Н Н !

Прозвуча звънецът за края на часа.

– МОЧУР! – кресна учителят.

– Да, г-не? – отвърна момчето.

– Остани в класната стая.

– Не мисля, че имам особен избор, нали, г-не?

– О, не.

И си беше точно така.

– Топчица ушна кал? – предложи **Мочур,** бъркайки в джоба си за **ПЛИКА НА СМЪРТТА.**

– С удоволствие.

Двамата засмукаха жълтите „бонбони“.

Лепилото беше толкова силно, че ги бе свързало един с друг завинаги.

Сега, когато единият от тях се опитваше...

да обядва в столовата...

да играе футбол на игрището...

да копае за червеи...

да извърши опасен експеримент...

да издърпа по-малко момче през плет...

да остане наказан след часовете...

да напише химична формула на дъската...

да играе задната част на коня в училищната коледна пиеса...

да догони автобуса за дома...

или разбира се, да пусне смрадлива бомба...

... трябваше да го правят

ЗАЕДНО.

И така, д-р Ужас и **Мочур,** най-лошият учител и най-лошото дете на света, накрая получиха точно това, което заслужаваха.

Един друг.

Г-ЦА ЯД,
наказания
наред
ЗАДЪРЖАНЕ
СЛЕД ЧАСОВЕТЕ
ТРОЙНО ЗАДЪРЖАНЕ
ДВОЙНО ЗАДЪРЖАНЕ
ГИМНАЗИЯ „ЖЛЪЧ“
ЗАМЕСТНИК-ДИРЕКТОР

Г-ЦА ЯД,
наказания наред

Някои УЧИТЕЛИ СА постоянно раздразнени. Други все са сърдити. Има и такива, които прекарват целия си ден **разгневени.**

Г-ца Яд обаче беше винаги **ВБЕСЕНА.**

За това имаше основателна причина и за разнообразие, не беше по вина на децата.

Г-ца Яд беше заместник-директор в ГИМНАЗИЯ ЖЛЪЧ от незапомнени времена. Дълги години тя живееше в сянка. Сянката на онази с най-високия пост. Онази, която все не се пенсионираше. Личност, която беше директорка от почти петдесет години. Пет десетилетия! Половин век! Нечувано бе някой да се задържи толкова време на тази длъжност. В някои училища директорите издържат само по пет минути*.

Когато нашият разказ започва, на деветдесет и девет годишната г-ца Стаж ѝ оставаха само няколко дни до златния юбилей като директорка на ГИМНАЗИЯ ЖЛЪЧ.

Това караше г-ца Яд да **КИПИ** от яд!

Като заместник-директор тя беше по ранг точно под г-ца Стаж. Всеки заместник-директор мечтае един ден да стане директор.

Номер едно.

Важна клечка.

Голямата работа.

Numero uno.

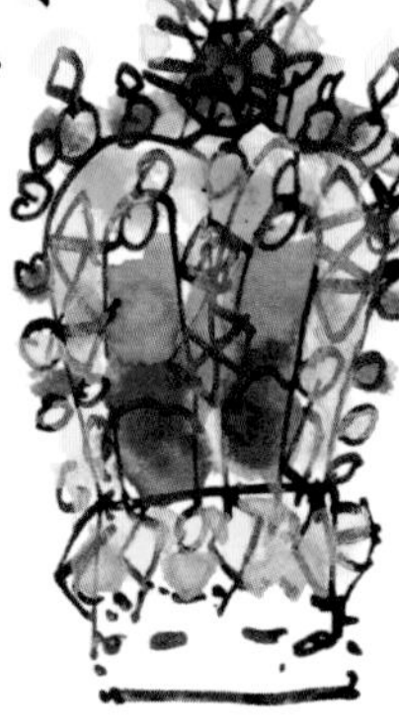

Нашият славен водач.

* **УЧИЛИЩЕ ЗА УЖАСНИ МОМЧЕТА „ДЯВОЛСКА РАБОТА“.** Повече за това прочуто учебно заведение – по-нататък в книгата.

Но не и в продължение на почти петдесет години! Толкова дълго г-ца Яд беше чакала да се докопа до **короната.** Чакаше ли, чакаше и чакаше. После почака още. Всеки ден проклинаше земята, по която се търкаляше г-ца Стаж.

– Някой ден... – нареждаше си тя, докато се оглеждаше из училището, – някой ден всичко това ще стане мое. МОЕ! МОЕ! МОЕ!

Яростта беше изписана на лицето ѝ. С времето...

очите ѝ се стесниха до две мастиленочерни точки...

устата ѝ се изкриви в постоянна гримаса...

ушите ѝ туптяха в червено като огньовете на ада...

по челото ѝ се наредиха бръчки като редове в тетрадка...

а ноздрите ѝ толкова се разшириха, че бихте могли да пъхнете наденички в тях...*

* ИЗОБЩО НЕ ОПИТВАЙТЕ. ТАКА САМО ЩЕ ВБЕСИТЕ ПОВЕЧЕ Г-ЦА ЯД, А ТЯ ВЕЧЕ Е НАТРУПАЛА МНОГО, МНОГО, МНОГО ЯРОСТ.

Лицето на г-ца Яд беше завинаги застинало в гневна гримаса. Така се будеше сутрин, така си лягаше вечер. Дори когато правеше нещо приятно, например смучеше един от любимите си твърди бонбони (онези с ивиците), изглеждаше, като че ли смуче оса.

Г-ца Яд беше чакала толкова дълго време, че вече бе много, много стара. (Не толкова стара като г-ца Стаж. Никой не беше толкова стар като г-ца Стаж.) Заместник-директорката бе на осемдесет и осем години и ходеше с бастун. Предимството му беше, че можеше да служи и за оръжие. Бе идеален за ръчкане и мушкане на деца.

МУШ!

– АУУУ!

РЪЧ!

– АААХ!

РЪГ!

– УУУХ!

Когато беше особено разярена, тя развърташе пръчката над главата си като витло.

ФИУУУ! ФИУУУ! ФИУУУ!

През повечето дни г-ца Яд дебнеше из коридорите на ГИМНАЗИЯ ЖЛЪЧ за жертва, върху която да излее гнева си. Най-много на света обичаше да наказва със задържане след часовете*.

Абсолютно всичко можеше да ви навлече неприятности с нея. Г-ца Яд раздаваше наказания по всякакви изсмукани от пръстите причини:

* Това е наказание, при което трябва да останете в училище след часовете. Може да е за един час, за два или дори за повече. Като малък бях толкова непослушен, че последното ми наказание още не е изтекло, а съм завършил училище през 1989 г.!

Ако кихнеш в клас...

– ТАЗИ КИХАВИЦА БЕШЕ ТОЛКОВА ШУМНА, ЧЕ МОЖЕШЕ ДА ОГЛУШЕЯ, ДЕТЕ! **НАКАЗАНИЕ!** – изкрещяваше тя и удряше с бастуна си по чина на свилото се от страх хлапе.

ПРРАСС!

Ако имаш **пъпка** на върха на носа...

– ТАЗИ ПЪПКА Е ОТВРАТИТЕЛНА. СЪСИПАЛ СИ ОБРАЗА НА ЦЯЛОТО УЧИЛИЩЕ.

– изплюваше се тя, ръчкайки носа на детето с бастуна.

– АУУУ!

Ако си тананикаш, седнал в тоалетната...

– Тра ла лаа. Ла ла лаа. Тра ла лаа!

Г-ца Яд блъскаше с бастуна си вратата на кабинката...

ПРРАСС!

... и извикваше:

– АКАЙ ПО-ТИХО!

Ако рожденият ти ден е в учебен ден...

– Честит рожден ден, дете!

– О, много ви благодаря, г-це Яд.

– Моля. Имам и подарък за теб.

– ЕХА! Благодаря ви.

– Подаръкът ми е… НАКАЗАНИЕ!

– Трябваше да се сетя.

– ДВОЙНО НАКАЗАНИЕ!

Ако носиш скърцащи маратонки на спортния ден…

СКРРЪЦ! СКРРЪЦ! СКРРЪЦ!

– ТАЗИ СКЪРЦАЩА ОБУВКА СЕ КОНФИСКУВА!

– Но г-це, тогава ще трябва да участвам в състезанието само с една обувка!

– ОТЛИЧНО! ЩЕ МОЖЕШ ДА ДОКУЦУКАШ ДО СВОЕТО

Ако имаш сандвич с яйце в кутията за обяд…

– УМИРИСАЛ СИ ЦЯЛОТО УЧИЛИЩЕ! ЦЕЛИЯ ГРАД! ЦЯЛАТА ДЪРЖАВА! ЦЕЛИЯ КОНТИНЕНТ! ЦЯЛАТА ПЛАНЕТА! ЦЯЛАТА СЛЪНЧЕВА СИСТЕМА! ЦЯЛАТА ВСЕЛЕНА!

– Не съм сигурен, че на Марс подушват моя сандвич с яйце, г-це.

Г-ЦА ЯД, НАКАЗАНИЯ НАРЕД

Ако вървиш твърде бързо по коридора...

– ПО-БАВНО, БЕЗРАЗСЪДЕН НЕПОХВАТНИК ТАКЪВ! – обаждаше се тя и преграждаше пътя с бастуна си, като го стоварваше пред детето.

ФФИИУУ!

ТРЯСС!

– Но г-це! Моля ви! Закъснявам за изпит!

– Ще го пропуснеш заради... **НАКАЗАНИЕ!**

Ако вървиш твърде бавно по коридора...

– ПО-БЪРЗО, МЪРЗЕЛИВА ГЛУПАЧКА ТАКАВА! – последвано от ръгане с бастун в гърба.

МУШШ!

– ААУУ! Но г-це, кракът ми е счупен!

– Жалко оправдание!

Ако носиш противно изглеждащ банан...

– С ТОЗИ БАНАН МОЖЕ ДА ИЗВАДИШ ОКОТО НА НЯКОГО!

Дори ако според г-ца Яд името ти е глупаво...

– ДА! „МАРК“ СЕ БРОИ ЗА ГЛУПАВО ИМЕ! НИКОГА НЕ СЪМ ЧУВАЛА ПО-ГЛУПАВО!

– Но, г-це. Нищо не мога да направя! Това е името, което са ми дали мама и татко.

– ДВОЙНО НАКАЗАНИЕ!

– Г-ЦЕ!

– ТРОЙНО НАКАЗАНИЕ!

– Няма да кажа нищо повече.

– ЧЕТВОРНО НАКАЗАНИЕ!

– Не е честно!

– ПЕТВОРНО НАКАЗАНИЕ!

– Мисля, че е „петорно“, г-це.

– ПЕТОРНО НАКАЗАНИЕ!

А задето ме поправяш, получаваш

ШЕСТОРНО НАКАЗАНИЕ!

Г-ЦА ЯД, НАКАЗАНИЯ НАРЕД

Всички нарушители трябваше да остават след уроците в класната стая на г-ца Яд за още час или два, или три, или понякога дори до сутринта. Зависеше дали си я хванал в лош ден, или в много, много, **МНОГО** лош ден. Като наказание г-ца Яд даваше изречения, които злосторниците да преписват стотици или хиляди пъти.

СЪЖАЛЯВАМ, ЧЕ МИГНАХ. НИКОГА НЯМА ДА ГО ПОВТОРЯ.

В БЪДЕЩЕ ТРЯБВА ДА СИ ИЗДУХВАМ НОСА ПО-ТИХО.

МНОГО СЪЖАЛЯВАМ, ЧЕ ЕДНОТО МИ УХО Е МАЛКО ПО-ГОЛЯМО ОТ ДРУГОТО.

ДЪЛБОКО СЕ РАЗКАЙВАМ, ЧЕ МИРИША НА ЧИПС СЪС СИРЕНЕ И ЛУК.

НИКОГА ПОВЕЧЕ НЯМА ДА ИЗПУСКАМ ТРОХА ОТ БИСКВИТА НА ПОДА НА СТОЛОВАТА.

НЕ ТРЯБВА НИКОГА, НИКОГА, НИКОГА ДА СЕ УСМИХВАМ НА ТЕРИТОРИЯТА НА УЧИЛИЩЕТО. ТУК ИДВАМ, ЗА ДА БЪДА НЕЩАСТЕН.

ДЪЛБОКО СЕ СРАМУВАМ, ЧЕ ЗАКЪСНЯХ С ЕДНА СЕКУНДА ЗА УЧИЛИЩЕ.

ИСКРЕНО СЕ ИЗВИНЯВАМ, ЧЕ СЪМ РИЖ. НЯМА ДА ПРАВЯ ПОВЕЧЕ ТАКА.

НИКОГА ВЕЧЕ НЯМА ДА ПЕЯ УЧИЛИЩНИЯ ХИМН ЛЕКО ФАЛШИВО.

ОБЕЩАВАМ В БЪДЕЩЕ ДА СИ СРЕСВАМ КОСАТА В ОБРАТНАТА ПОСОКА.

Само че един следобед стана така, че г-ца Яд не можа да наложи нито едно жалко наказанийце. Причината беше, че в салона на училището се провеждаше **голямо чаено парти** и всички ученици до един бяха поканени. Всичките хиляда. Разбира се, всички учители, готвачки и портиери също бяха там.

Партито беше в чест на г-ца Стаж и нейните

ПЕТДЕСЕТ СЛАВНИ ГОДИНИ

като директорка на

ГИМНАЗИЯ ЖЛЪЧ.

За разлика от г-ца Яд, която беше мразена, г-ца Стаж се радваше на всеобща обич. Тя бе като любима баба или прабаба, или прапрабаба. Г-ца Стаж беше очарователна старица и цялото училище искаше партито да бъде наистина специално. Всеки беше донесъл по нещо. Имаше торти, желета, пайове и сандвичи в изобилие. Както може да се очаква от чаено парти, чашите чай също бяха предостатъчно.

Единственият проблем беше… че я нямаше самата г-ца Стаж.

Директорката закъсняваше за партито в своя чест. Закъсняваше сериозно. Г-ца Стаж беше чевръста колкото костенурка. Деветдесет и девет годишната старица бе

събудена в кабинета си – тя обикновено проспиваше повечето от деня – от най-вярната си съюзничка, училищната секретарка. Г-ца Епоха беше направо крехко момиченце със своите само деветдесет и осем години. Престарялата секретарка забута началничката си по дългите коридори на инвалидния ѝ стол, като седемнадесет пъти се отби до тоалетната. Когато г-ца Стаж най-после влезе в залата, времето напредваше и тя пак беше задрямала.

– ХЪРР! ХЪРР! ХЪРР! ХЪРР!

Само че, щом се дотъркаля в помещението, бе посрещната от гръмък хор:

– УРРААА!

И тя се разбуди отново.

Тогава г-ца Епоха качи директорката на сцената, за да изнесе речта за златния си юбилей.

– Кръщавам този кораб… – поде г-ца Стаж с напевния си глас.

– Не, не – изсъска секретарката.

– Обявявам тази библиотека за открита…

– Не, не, не!

– Благодаря ви, че сте дошли да отпразнувате моя бронзов…

– Не!

– Сребърен…

– НЕ!

– Златен…

– ДА!

– Моя ЗЛАТЕН ЮБИЛЕЙ като директорка на училището. Учители, ученици, готвачки, портиер, градинар и всички други присъстващи, за които нямам и най-малка представа кои сте, добре дошли!

– УУРРАА!

Всички я аплодираха.

Всички освен г-ца Яд, разбира се. Заместничката се криеше зад купа трайфъл и бавно почервеняваше от гняв.

– Ако щете вярвайте – продължи г-ца Стаж, – вече съм на деветдесет и девет години, почти преполовила живота си…

– ПРЕПОЛОВИЛА? – излая г-ца Яд.

– … и се отдадох на размисъл, както се полага в такъв забележителен, паметен момент.

– О! Карай по-накратко! – изръмжа заместник-директорката и тропна с бастуна си по пода.

ТУП!

– Трябва ли да продължа като директорка на ГИМНАЗИЯ ЖЛЪЧ...?

Г-ца Яд наостри уши.

– ... или е време да поема в друга посока? Е, смятам, че днес е идеалният ден да обявя...

Заместник-директорката направи нещо, което не беше правила от много, много, много дълго време... усмихна се! На гневното ѝ лице се изписа, ами... ЩАСТИЕ!

Това беше моментът, който г-ца Яд чакаше от близо половин век. Директорката щеше да обяви пенсионирането си. И като заместник-директорка тя щеше да получи **короната.** Най-сетне щеше да бъде най-важната клечка в ГИМНАЗИЯ ЖЛЪЧ!

Но преди г-ца Стаж да довърши изявлението си, тя захърка насред изречението.

– **ХЪРР! ХЪРР! ХЪРР!**

Нейната секретарка, или по-скоро медицинска сестра, г-ца Епоха, се намеси. Тя събуди шефката си, както го правеше винаги, с внимателно пляскане по лицето.

Пляс! Пляс! Пляс!

Г-ца Стаж се събуди стреснато.

– О, много ви благодаря, г-це Епоха. Не зная какво щях да правя без вас.

– Удоволствието е мое, г-жо директор – отвърна секретарката.

– Така, докъде бях стигнала?

– ДО ОБЯВЯВАНЕТО! – викна силно г-ца Яд.

– О, да, благодаря ви, г-це Яд, моя вярна заместничка и най-близка приятелка.

Г-ца Яд кимна, но не обели и дума. Винаги беше изпитвала към г-ца Стаж само дълбоко, мрачно негодуване.

– Днес е идеалният ден да обявя, че…

ДЪМ! ДЪМ! ДЪМ!*

* Не се чу истински звук „ДЪМ! ДЪМ! ДЪМ!". Просто го добавих, за да повиша напрежението. При това без допълнителна цена за теб, скъпи читателю.

– ... реших да остана директорка на ГИМНАЗИЯ ЖЛЪЧ за още петдесет години!

– УРРААА! – извикаха всички.

Г-ца Стаж беше много обичана, но във възгласите се долавяше съмнение. Петдесет години? Наистина ли щеше да доживее до 149 години? И все още да работи?

Г-ца Яд изглеждаше, сякаш ще се **взриви.**

НЕЕ!

– изкрещя тя.

– Имате ли да добавите нещо, г-це Яд? – попита г-ца Стаж.

НАКАЗАНИЕ!

Цялото училище избухна в гръмогласен смях.

– ХА! ХА! ХА! ХИИ! ХИ! ХИ! ХЪЪ! ХЪ! ХЪ!

– Хо! Хо! Хо! – изкиска се г-ца Стаж. – Аз съм директорката, г-це Яд. Мен не можете да ме задържите след часовете!

– НАХАЛСТВО! – викна заместничката ѝ. Нямаше да търпи това. – ДВОЙНО **НАКАЗАНИЕ!**

– ХО! ХО! ХО!

– ТРОЙНО

Училищната секретарка се застъпи за началничката си.

– Г-це Яд, моля ви! Да не сте откачили?

– ДА! ОТКАЧИХ! ПРЕДИ МНОГО ГОДИНИ! – кресна г-ца Яд и развъртя все по-бързо бастуна над главата си.

ФИИУУ!
ФИИУУ!
ФИИУУ!

Това не беше отговорът, който г-ца Епоха очакваше, но тя все пак не отстъпи.

– И така да е, това е важен ден за г-ца Стаж! **ПЕТДЕСЕТ СЛАВНИ ГОДИНИ!** Как смеете да го съсипвате?

Г-ца Яд бе непоколебима.

НАКАЗАНИЕ! –избоботи тя отново.

– Извинете? – отвърна секретарката. Не вярваше на ушите си. Сега и тя самата бе наказана!

– ДВОЙНО **НАКАЗАНИЕ!** – изрева г-ца Яд.

– Но...?

– ТРОЙНО **НАКАЗАНИЕ!**

– НО...?

– ЧЕТВОРНО **НАКАЗАНИЕ!**

– НО...?

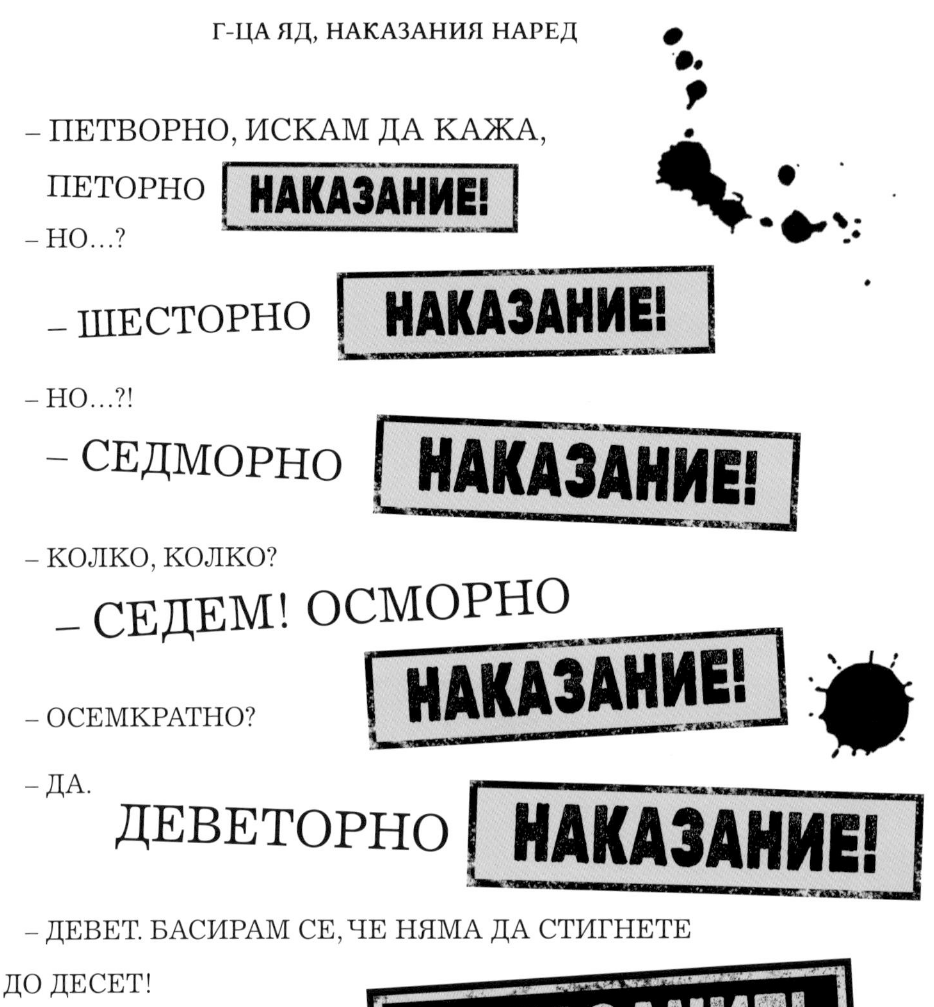

– ПЕТВОРНО, ИСКАМ ДА КАЖА,
ПЕТОРНО НАКАЗАНИЕ!

– НО...?

– ШЕСТОРНО НАКАЗАНИЕ!

– НО...?!

– СЕДМОРНО НАКАЗАНИЕ!

– КОЛКО, КОЛКО?

– СЕДЕМ! ОСМОРНО НАКАЗАНИЕ!

– ОСЕМКРАТНО?

– ДА.
ДЕВЕТОРНО НАКАЗАНИЕ!

– ДЕВЕТ. БАСИРАМ СЕ, ЧЕ НЯМА ДА СТИГНЕТЕ ДО ДЕСЕТ!

– ДЕСЕТОРНО НАКАЗАНИЕ!

– ДА МУ СЕ НЕ ВИДИ! – възкликна секретарката. – Г-це Яд! Дъската ви се е разхлопала! Не можете ей така да задържите всички след часовете!

Тази пантомима продължи няколко часа, докато накрая г-ца Яд избухна.

– ВСИЧКИ В ТАЗИ СТАЯ! ВСИЧКИ СТЕ **НАКАЗАНИ!**

Беше решила да **НАКАЗВА НАРЕД!**

Всички в училищния салон, значи доста повече от хиляда души, се заоплакваха шумно. Не на последно място – останалите учители.

– НЕ! – НИКОГА! – НЯМА! – ГЛУПОСТИ!

– ГЛУПОТЕВИНИ И БАБИНИ ДЕВЕТИНИ! – това беше пак г-ца Епоха.

– Весела Коледа на всички! – обяви г-ца Стаж през шумотевицата.

– Месец януари е, г-жо директор – поправи я секретарката.

– Наистина ли?

– Да.

– Е, хубаво е човек да е подготвен отдалече.

Преди някой да успее да произнесе и дума повече, г-ца Яд изкрещя…

– ТИШИНА!

… по-силно от всеки учител, който дотогава беше крещял „Тишина!“*.

След като застана в центъра на вниманието, г-ца Яд започна да върти бастуна над главата си все по-бързо и по-бързо…

ФИИИУУУ! ФИИИУУУ! ФИИИУУУ!

* Предишният световен рекорд за най-силен вик „Тишина“ бе на един як учител по география, г-н Екот. Той викаше толкова силно, че сам си причини постоянна глухота. Напоследък, понеже не чува нищо, крещи още по-силно.

… и да пъди хората от салона.

– КЪШ! КЪШ! КЪШ!

За нула време подбра всички ученици и персонал по коридора, нагоре по стълбите към собствената си класна стая на най-горния етаж на училището.

Проблемът беше, че стаята беше проектирана за тридесет души, не за хиляда и тридесет. Бе все едно да стоиш в претъпкан вагон в час пик. Лица бяха притиснати под нечии мишници, колена се удряха едно в друго и всички се настъпваха по пръстите.

– ИЗВИНЕТЕ!

– ОПА!

– ОХХ!

Децата сметнаха това за изключително забавно.

– НИКОЙ ДА НЕ ПРЪЦКА, ИНАЧЕ КРАЙ С НАС! – подвикна някой.

– ХА! ХА! ХА!

– МОЖЕТЕ ДА СИ СТОИТЕ ТУК ЗА ВЕЧНИ ВРЕМЕНА! – кресна г-ца Яд от прага.

– Жалка, нищожна женица! – присмя ѝ се г-ца Епоха от името на цялото училище. – Всичко това е, защото не получи най-високия пост. **ХАА-ХАА-ХАА!** Сега **никога** няма да станеш директорка. А и **никога** няма да получиш петте си минути слава!

– ДА! – съгласиха се останалите.

Свитите очи на г-ца Яд се присвиха още повече. Носът ѝ се сбръчка, а устните ѝ затрепериха.

– ВСИЧКИ МНОГО ГРЕШИТЕ! – обяви заместничката. – ТОВА СА МОИТЕ ПЕТ МИНУТИ СЛАВА! ТОВА Е ДЕНЯТ, В КОЙТО ЦЯЛОТО УЧИЛИЩЕ ИЗТЪРПЯВА **НАКАЗАНИЕ!**

– Не е цялото – отбеляза с усмивка г-ца Стаж.

– КАКВО?

– Мисля, че забравяте някого.

– КОГО? – настоя г-ца Яд.

– СЕБЕ СИ!

В препълнената класна стая настъпи тишина.

Погледите се обърнаха към заместник-директорката, която стоеше на вратата и се бореше с тази мисъл.

След няколко секунди тя проговори.

– Г-ЦЕ ЯД! – повика г-ца Яд.

– *ДА, Г-ЦЕ ЯД?* – отвърна г-ца Яд.

– С НАСТОЯЩОТО ВИ НАЛАГАМ **НАКАЗАНИЕ!**

– *НА МЕН?*

– ДА, НА ВАС.

– *НО АЗ СЪМ ЗАМЕСТНИК-ДИРЕКТОРКА НА УЧИЛИЩЕТО! НЕ МОЖЕТЕ ДА МИ НАЛОЖИТЕ* **НАКАЗАНИЕ!**

– НАПРОТИВ, МОГА! ТОЧНО ЗАЩОТО СЪМ ЗАМЕСТНИК-ДИРЕКТОРКА НА УЧИЛИЩЕТО! СЕГА ВЛИЗАЙТЕ ВЪТРЕ! КЪШ! КЪШ! КЪШ!

С тези думи г-ца Яд вдигна бастуна си и с ръчкане и побутване се вкара сама в класната стая.

Сега вътре стана още по-тясно отпреди и учениците се размърмориха.

– ОХХ!

– УФФ!

– АУУУ!

– НЕ МОЖЕШ ЛИ ДА ИЗЧАКАШ СЛЕДВАЩИЯ ВЛАК?

– СТИГА СИ МИ БЪРКАЛ В НОСА!

– УЖАСНО СЪЖАЛЯВАМ – МИСЛЕХ,

ЧЕ Е МОЯТ!

Г-ца Яд затвори вратата на стаята зад гърба си.

БАМММ!

– Така, сега всички да седнат! – извика тя.

– Вие опитайте да седнете тук! – отговори г-ца Стаж. – На всеки стол се падат по тридесет задника!

– ХА! ХА! ХА!

– А някои от тях са твърде големи и за по един стол!

– ХА! ХА! ХА! ХА! ХА! ХА!

– ТАКА! – обади се г-ца Яд, решена да наложи контрол в класната стая. Тя се покатери по г-ца Стаж, сякаш престарялата директорка беше стълба.

– Бихте ли били така добра да си махнете крака от главата ми? – попита директорката.

Стиснала здраво бастуна си, г-ца Яд сърфира по тълпата* над главите на учениците.

– ДАВАМ НА ВСИЧКИ РЕПЛИКИ ЗА ПИСАНЕ! – обяви тя, докато вълната от ръце я плъзгаше из стаята като плажна топка. – НЕ ТРЯБВА ДА СЕ ОПЛАКВАМ, ЧЕ СЪМ ПОЛУЧИЛ **НАКАЗАНИЕ**, ИНАЧЕ ЩЕ ПОЛУЧА ОЩЕ ЕДНО **НАКАЗАНИЕ!**

Никой не можеше да напише нищо. Нямаше място да си помръднеш лакътя!

– НЕ МОЖЕМ!

– НЕВЪЗМОЖНО Е!

– ДА НЕ СТЕ СЕ ПОБЪРКАЛИ?

– ХА! ХА! ХА!

Г-ца Яд невъзмутимо се добра до шкафа в ъгъла, за да извади хартия. Тя стъпи върху него и се обърна към цялото училище.

* Не е най-добрият начин за придвижване, дори на рок концерт.

– ИСКАМ ВСИЧКИ ВИЕ, ИМАМ ПРЕДВИД ВСИЧКИ НИЕ, ДА ГО НАПИШЕМ МИЛИОН ПЪТИ! – излая тя.

– НЯМА ДА ГО НАПРАВЯ! – отказа на себе си г-ца Яд.

– МИЛИАРД ПЪТИ ТОГАВА! – сопна се тя в отговор и развъртя бастуна над главата си.

– КАЗАХ „НЕ“!

– ТРИЛИОН!

ФИИУУ!

– НЕ!

– ЗИЛИОН!

ФИИУУ!

– НИКОГА!

– ГАЗИЛИОН!

ФИИУУ!

– НЕ! НЕ! НЕ!

Докато тя спореше със себе си, бастунът ѝ кръжеше все по-бързо, и по-бързо, и по-бързо, и по-бързо.

ФИИУУ! ФИИУУ! ФИИУУ!

Г-ца Яд вече въртеше бастуна над главата си толкова бързо, че се заиздига като хеликоптер.

БРРРР!

Краката ѝ се отлепиха от шкафа и тя проби тавана на класната си стая.

ТРЯСС!

Учителката изфуча в небето!

Всички погледнаха нагоре през дупката в тавана с размера на г-ца Яд и я видяха да пробива облаците, все още въртейки бастуна над главата си.

– НАКАЗАААААААНИИИИИИЕЕЕЕЕЕЕЕЕЕЕ! –

изрева тя на един гълъб, който прелетя покрай нея.

– КРЯАК!

Гласът ѝ отекваше през небето, докато най-после заглъхна.

– Е, така е по-добре – въздъхна г-ца Епоха.

– О, да – промърмориха в съгласие останалите.

– СЕГА ДА ПРАЗНУВАМЕ! – подкани г-ца Стаж.

– ДА! – извика цялото училище.

Всички се изсипаха от класната стая и последваха директорката по коридора обратно към салона, където все още ги чакаха вкусните торти, желета и пайове.

– УРРААА!

Г-ца Стаж си тръгна от партито последна. Доста след полунощ. Събитията от деня я бяха развеселили донемайкъде. Имаше караоке и тя изпълни пред училището любимите си хип-хоп парчета.

– ЕМ СИ СТАЖ НА МИКРОФОНА.

ГИМНАЗИЯ ЖЛЪЧ, ДА ВИ ЧУЯ: „УЕЙО!“

– УЕЙО!

Колкото до г-ца Яд, никой не знае къде и дали изобщо е паднала.

И така, ако намерите гневна старица да лежи в канавка, да размахва бастун над главата си и да вика към вас **НАКАЗАНИЕ**, подходете ИЗКЛЮЧИТЕЛНО предпазливо.

Каквото и да правите, НЕ залепвайте марка на челото на г-ца Яд и не я изпращайте по пощата обратно в **ГИМНАЗИЯ ЖЛЪЧ**.

Там НЕ искат отново заместник-директорката си!

НИКОГА!

Драматичните
драми на Г-ЦА
ДЪРА-БЪРА
УВИ!
УВИ!
И ТРИЖДИ УВИ!
УЧИЛИЩЕТО НА ЛЕЙДИ ПОКАЗНА ЗА ИЗИСКАНИ ДЕВИЦИ
ДРАМА

Драматичните драми на Г-ЦА ДЪРА-БЪРА

Г-ЦА ДЪРА-БЪРА МОЖЕШЕ ДА ПРЕВЪРНЕ всичко в **драма.** И най-малкото нещо я караше да се впусне в пресилено театрално изпълнение.

Можеше да бъде…

Найлонова торбичка, закачена за дърво…

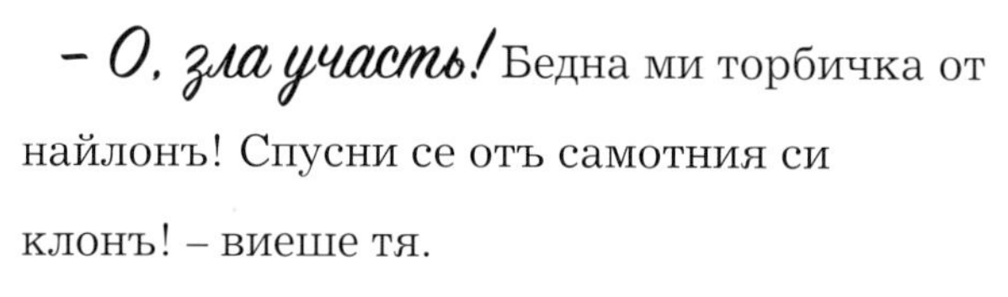

– *О, зла участь!* Бедна ми торбичка от найлонъ! Спусни се отъ самотния си клонъ! – виеше тя.

Учител киха на училищно събрание…

– АПЧИХХХ!

– Тозчасъ се запъти към най-близкия знахаръ*. Току-вижъ ти оставатъ *салъ мигове животъ!*

Г-ца Дъра-Бъра обичаше да използва език от времето на Уилям Шекспир, прочутия драматург, починал преди повече от четири века.

Късче дъвка, залепнало за подметката ѝ…

– Уви! *О, дважди уви!* Попаднахъ въ лепкава клопка! Тукъ ще остана погребана *навеки!*

Оса, залутала се в класната стая…

– Вън, *вън!* О, жилещ неприятель! Не си добре дошълъ ти въ класната ми стая! Не ме принуждавай да грабна флакона и *шбел* надъ тебъ да посипя!

Птиче изпражнение, паднало върху колата на директорката…

ПЛЬОК!

– О, нечиста птицо, защо върху директорското возило стовари ти противното си *аки?*

* Знахарите лекували с билки, когато още нямало аптеки.

Момиче с развързана обувка…

– На място спри се

в мигъ и завържи тазъ

връзка! И моля, моля, моля те,

не ми благодари, макар че сигурно *живота ти спасихъ!*

Книга, закъсняла за връщане в библиотеката…

– О, книга! О, прекрасна книга!

С криле на гълъбъ към дома си отлети!

Дано се завърнешъ невредима!

Недостиг на печен боб

в училищната столова…

– О, клета аз. О, клетите деца. О, клетите любители на печенъ бобъ по света. Трябва ни бобъ, бобъ и още бобъ, инакъ по-добре просто да легнемъ в някоя канавка и да умремъ!

Да умремъ! ДА УМРЕМЪ!

В случай че още не сте се досетили, точно тази най-лоша учителка на света преподаваше актьорско майсторство.

Външният вид на г-ца Дъра-Бъра беше, с една дума,

театрален.

Учителката се обличаше, сякаш е допътувала през времето отпреди **НЯКОЛКО** века. Носеше дълга алена

кадифена наметка, която се развяваше във ветровитите дни. На нея бе забодена старинна златна брошка със символа на **драмата** – маските близнаци на комедията и трагедията*.

Под наметалото г-ца Дъра-Бъра обличаше старовремски блузи с надиплени яки и маншети и поли от туид, които стигаха чак до глезените ѝ. Обуваше ботуши с високи токове и връзки, които последно са били популярни през викторианската епоха. Очилата ѝ с форма на полумесеци висяха на златна верижка около врата. Никой никога не я беше виждал да ги доближава към очите си, така че може би бяха просто част от костюма ѝ.

* Това беше съвсем уместно, понеже животът ѝ бе смес от тези две неща.

Г-ца Дъра-Бъра преподаваше в

Не бихте могли да намерите

ПО-ИЗИСКАНО училище*

* Беше по-изискано дори от

УЧИЛИЩЕТО ЗА ИЗИСКАНИ НА ЛОРД СНОБ,

което приемаше само членове на кралското семейство.

ДРАМАТИЧНИТЕ ДРАМИ НА Г-ЦА ДЪРА-БЪРА

То се помещаваше във величествено СТАРИННО ИМЕНИЕ на стотици години. По моравата му имаше мраморни статуи, от таваните висяха полилеи, а картини с маслени бои в златни рамки красяха стените. Всички мебели, дори чиновете и столовете на момичетата, бяха безценни **антики**.

Според г-ца Дъра-Бъра училището беше **идеално** място за нея. Харесваше ѝ неговото излъчване на великолепие, традиции и снобизъм. То бе като нейно отражение. Преподаваше в него от десетилетия. Колкото и да се опитваха, не можеха да се **отърват** от нея. През годините Дъра-Бъра бе режисирала там известен брой „незабравими"* училищни постановки.

* Снизходително могат да се нарекат „незабравими". По-точната дума е „мъчителни".

Първа беше печално известната **ПЪЛНА ИСТОРИЯ НА СВЕТА ОТ Г-ЦА ДЪРА-БЪРА.** Тя продължи **седемнадесет часа** без антракт. Гордите родители в публиката спяха на смени и се разбуждаха взаимно, когато някоя от дъщерите им имаше реплика в пиесата. Ако някой се опиташе да отскочи до тоалетната, г-ца Дъра-Бъра му препречваше пътя с жезъл.

– *Не ще преминешъ, че ще пропуснешъ някой добъръ моментъ!*

Най-голямата страст на г-ца Дъра-Бъра бяха мюзикълите. Тя написа един за златната си рибка, която бе кръстила **Уилям Шекспир.** Учителката по драма избра председателката на ученическия съвет за ролята на рибката и му даде шнорхел и плавници. Построиха гигантски стъклен аквариум, напълниха го с вода и пуснаха девойката вътре.

ПЛЬОС!

За съжаление, никой не чу и една песен от **мюзикълът Златна рибка!** , понеже всички те бяха изпети под водата.

– БЪЛБУК! БЪЛБУК! БЪЛБУК!

Кой би могъл да забрави автобиографичната ѝ **Г-ЦА ДЪРА-БЪРА: СЪЛЗИТЕ И СМЕХЪТ НА ЕДНА ЛЕГЕНДА?** Всички, които имаха нещастието да гледат този моноспектакъл, се опитваха да го забравят, но за съжаление, той се беше отпечатал в паметта им завинаги. Г-ца Дъра-Бъра, разбира се, играеше себе си, от раждането си до ден днешен. Според сценария тя бе „най-обичаната учителка, стъпвала някога по земята".

Соловият балет без думи АМЕБА*, в който г-ца Дъра-Бъра се облече като най-дребното създание на земята и подскача по сцената цели четири часа, се смяташе за абсолютното ѝ дъно. Училищното списание *Показност* му даде най-отрицателната рецензия в историята на театъра. Тя гласеше просто: **„Аки"**.

* Амебите се състоят от една-единствена клетка. За сравнение в човешкото тяло има около 37,2 трилиона клетки. Не се опитвайте да ги преброите, ще ви отнеме цял ден.

в ОПЕРАТА „БИСКВИТИ АСОРТИ“ дузина различни бисквити оживяха, пристъпиха навън от кутията си и запяха на италиански. Тази опера Дъра-Бъра смяташе за най-големия си шедьовър. Розова вафла, Шоколадов пръст, Джинджифилка, Бурбон, Масленка и Яйчен крем воюваха помежду си за короната на вълшебното кралство Бисквитерия. Беше още по-лошо, отколкото звучи, а знам, че звучи **УЖАСНО.**

Най-страшното нещо, което можеше да ви се случи, ако сте ученичка в

,

беше да ви дадат роля в някоя от постановките на Дъра-Бъра. Понеже училището бе пансион, нямаше как да избегнете тази участ. Всеки срок г-ца Дъра-Бъра окачваше

на дъската за обяви списък на актьорския състав. Момичетата го наричаха „СПИСЪКЪТ НА **ОБРЕЧЕНИТЕ**“! Откази не се допускаха. Отказалите ученички се ИЗКЛЮЧВАХА незабавно и им се налагаше да се преместят в не толкова ИЗИСКАНО училище, **ОПОЗОРЯВАЙКИ** семействата си завинаги.

Репетициите за постановките на Дъра-Бъра траеха месеци, понякога даже **ГОДИНИ,** често и през нощта. Най-лошото беше, че тя крещеше, ако си забравиш репликата или застанеш на погрешно място на сцената.

– НЕЕЕЕЕЕЕ! *Опропастявашъ всичко!* Сега го повтори и пакъ, и пакъ,
и пакъ, докато го направишъ *правилно!*

Горките момичета
избухваха в сълзи.

– **БУу-ХуУ-хУу!**

Не че на учителката ѝ пукаше. Нея я беше грижа само за безценната ѝ пиеса и не приемаше нищо по-малко от съвършенство.

Една сутрин повикаха г-ца Дъра-Бъра в кабинета на директорката. Това не се случваше често, затова из ума на учителката по актьорско майсторство веднага закръжи въпросът защо.

Дали плановете ѝ за **тематично театрално** меню в столовата най-после даваха плодове?

* Десетима прочути драматурзи от целия свят: Уилям Шекспир, Англия; Антон Чехов, Русия; Хенрик Ибсен, Норвегия; Самюъл Бекет, Ирландия; Бертолт Брехт, Германия; Оскар Уайлд, Ирландия; Луиджи Пирандело, Италия; Жан-Батист Поклен, или Молиер, Франция; Тенеси Уилямс, Съединени американски щати; Софокъл (в Древна Гърция хората имали само по едно име), Древна Гърция.

Дали щеше да получи награда за цялостно творчество в областта на **драмата?**

Дали училището щеше да бъде съборено, за да може да се построи мечтаният от нея театър, наречен – разбира се – *Мемориален театър „Дъра-Бъра"?*

Дали директорката се пенсионираше и даваше поста си на г-ца Дъра-Бъра, за да превърне лейди Показна в театрално училище с часове само по драма, драма и пак **драма?**

Или, най-добре, дали нямаше да получи титла дейм от *Нейно Величество кралицата?* Дейм Палома Дъра-Бъра звучеше доста добре.

Отговорът на всички тези въпроси беше ЕДНО ГОЛЯМО „НЕ". Но г-ца Дъра-Бъра още не знаеше това.

Училищната секретарка я въведе в облицования с дъб кабинет на директорката. Както може да очаквате от училище с такива традиции,

стаята беше пълна с книги с кожени подвързии и маслени портрети на предишните директорки.

– Призовали сте ме, *О, велика* – обяви Дъра-Бъра, нахлувайки с развято наметало. – Това съмъ азъ, най-великата *учителка по драма,* която светътъ е познавал! Г-ца Дъра-Бъра!

– Да! Знаем коя сте! – сопна се страхотно ИЗИСКАНАТА директорка*.

Тя беше, меко казано, строга. Нямаше време за глупавата учителка и още по-глупавите ѝ постановки.

– Седнете! – разпореди тя.

Г-ца Дъра-Бъра се отпусна на стола бавно и **театрално.**

* Директорката беше толкова изискана, че дори Нейно Величество кралицата би изглеждала простовато пред нея.

На задните ѝ части им отне няколко минути да стигнат действително до седалката*.

Най-сетне директорката можеше да започне.

– Извикахме ви тук днес, тъй като трябва да поговорим за предложението ви за тазгодишната училищна пиеса.

– *Пълните съчинения на Уилямъ Шекспиръ, безъ съкращения?* – попита бодро г-ца Дъра-Бъра.

– Да – отвърна уморено директорката.

– Драматургътъ Уилямъ Шекспиръ, естествено, не *златната ми рибка* Уилямъ Шекспиръ.

– Досетихме се. Предполагаме, че златната ви рибка не е писала пиеси.

– Една или две, но те не са особено добри. Сюжетътъ все обикаля ли обикаля в кръгъ, също като автора.

Директорката ококори очи. Г-ца Дъра-Бъра наистина беше откачена.

– Г-це Дъра-Бъра, ние казваме „не".

Това беше дума, която г-ца Дъра-Бъра никога не бе чувала. Тя беше такава природна стихия, че никой никога не ѝ казваше „не".

След като стъписването поотмина, тя започна **представление.** В очите ѝ се насъбраха сълзи, а гласът ѝ затрепери от вълнение.

* Напълно достатъчно време да си сварите яйце.

– Но това е моятъ *шедьовъръ!* Той ще впише името ми въ историята като **най-великия учитель по актьорско майсторство, живялъ някога.**

Това нивга не е било сторено досега! Да се поставятъ всички тридесетъ и седемъ Шекспирови пиеси и да се представятъ в една вечеръ на *удивлението!*

– Но вечерта няма да е само една, нали, г-це Дъра-Бъра?

Учителката се замисли за момент. Математиката не беше силната ѝ страна, но всяка пиеса траеше по три-четири часа, така че тя започна опити да пресметне.

– *Уви, не.*

– И така, колко време ще отнеме да се изиграят всичките тридесет и седем Шекспирови пиеси, много от които са умопомрачително дълги?

– Едва ли повече от *седмица!*

– СЕДМИЦА! – дори директорката беше смаяна.

– Може и по-дълго, ако така желаете. Бихъ могла да включа и сонетите на Шекспира.*

– НЕ! – изкрещя директорката. Вече губеше търпение.

* Сонетите са стихотворения от четиринадесет стиха. На някои и това им се струва много.

– *Уви, не* за сонетите, но *о, да* за тридесетъ и седемте пиеси? – попита с надежда г-ца Дъра-Бъра.

– НЕЕЕ!

– *Уви, не?*

– О, ДА! ОТГОВОРЪТ Е „УВИ, НЕ“! Искаме да кажем: „Да, отговорът е „не“!“ И г-це Дъра-Бъра, разпореждам от този момент насетне да няма повече училищни пиеси.

Учителката, като никога, онемя от изненада.

– Те носят само страдание на играещите в тях и още по-голямо страдание на зрителите, принудени да ги гледат. Консултирахме се с училищния съвет и всички момичета искат театралният ви кабинет да бъде преустроен за тренировки по бадминтон.

– ТРЕНИРОВКИ ПО БАДМИНТОНЪ? – г-ца Дъра-Бъра не вярваше на ушите си. Това беше обида с епични размери. – Г-жо директоръ, нима ви чувамъ правилно? Наистина ли казвате *уви, не* на първата по рода си постановка на всичките тридесетъ и седемъ пиеси на Шекспира, за да могатъ момичетата да си подхвърлятъ някакво си… – тя едва се принуди да го произнесе – *перце?*

– Да, отказвам – отговори директорката. – Сега, г-це Дъра-Бъра, **ние** имаме да управляваме изключително ИЗИСКАНО училище. Приятен ден! – с тези думи тя стана и посочи на учителката вратата.

Г-ца Дъра-Бъра остана седнала и се втренчи право напред.

– Г-це Дъра-Бъра? Г-ЦЕ ДЪРА-БЪРА? – директорката размаха ръка пред очите на жената, но тя не реагира.

– Уви, уви и *трижди уви!* – промълви на себе си учителката. Звучеше като първия **ПУКОТ** на далечна гръмотевица от зараждаща се буря.

– Г-це Дъра-Бъра? Моля ви, не правете **драма** от това!

– УУУУУУВИИИИИИ! – започна да вие тя в отговор. Звукът беше толкова пронизителен, че стъклата на прозорците се пръснаха.

ТРРЯСС!

Маслените картини изпопадаха от стените.

ТУП! ТУП! ТУП!

А подвързаните с кожа книги

излетяха от рафтовете.

ТУПУР! ТУПУР! ТУПУР!

– Престанете да виете веднага,

г-це Дъра-Бъра! – нареди директорката.

– ВЪН! ВЪН! ВЪН!

Тя започна да пъди учителката от кабинета си.

– КЪШ! КЪШ! КЪШ!

Г-ца Дъра-Бъра се запрепъва по коридора, а наметката ѝ се развяваше зад нея. Спря се между две гигантски колони.

–УУУУУУУУУУУВИИИИИИ!–

виеше тя даже още по-силно отпреди.

Беше толкова силно, че старото училищно здание започна да се руши.

ГРЪМОЛ! ГРЪМОЛ! ГРЪМОЛ!

Полилей се откъсна от тавана и се разби.

ФИИИУУ!

ТРЯСС!

От стените полетя гипс.

БУУУММ!

Вратите изхвърчаха от пантите си.

ТУП! ТУП! ТУП!

От класните стаи се заизсипваха момичета и учителки.

– АААХХХ!

– НЕЕЕ!

– ПОМОЩ!

Всички избягаха вън на моравата и оставиха г-ца Дъра-Бъра да вие сама в сградата на училището.

-уууУУУУУВ

Този път тя впрегна **всичките** си сили срещу двете **гигантски** колони. По тях пробягаха огромни пукнатини.

ПУУУК! ПуУУК! ПУУУК!

Когато колоните се срутиха, старата богаташка къща ги последва. Таванът пропадна, стените поддадоха и всичко, което можеше да рухне, рухна.

СРУУУТТ!

РРРУУУХ!

СЪБОРРР!

БУММ! БУФФ!

ТРЯСС!

Скоро от исторически значимото

УЧИЛИЩЕ НА ЛЕЙДИ ПОКАЗНА ЗА ИЗИСКАНИ ДЕВИЦИ

остана само купчина чакъл.

Облак прах покри всички и всичко.

КХЪ-КХЪ!

ЗАДАВ!

ААХХ!

Докато прахът бавно се разнасяше, учителките и ученичките започнаха да различават самотна фигура сред отломките. Изглеждаше като статуя, застинала неподвижно, покрита от глава до пети със сива пепел и боклуци.

– Г-ЦЕ ДЪРА-БЪРА! – извика директорката.

Щом чу името си, статуята оживя. Тя попита с надежда:

– Какво ще речете да режисирамъ само

тридесеть и шесть **отъ пиесите на Шекспира?**

НЕВЕРОЯТНИЯТ
Г-Н БАЛОН
НАЙ-СИЛЕН
НАЙ-БЪРЗ
НАЙ-МУСКУЛЕСТ
УЧИЛИЩЕ „ДРЪН-ДРЪН“
СПОРТ

НЕВЕРОЯТНИЯТ Г-Н БАЛОН

Г-Н БАЛОН БЕШЕ огромен, дебел мъж, толкова широк, колкото и висок – като летателен балон в анцуг. Той бе облечен с анцуг в училище всеки ден, но не заради каквото и да е физическо усилие. Носеше го просто защото преподаваше спорт.

А учителите по спорт трябва да са с анцуг дори ако са по-мудни от ленивец.

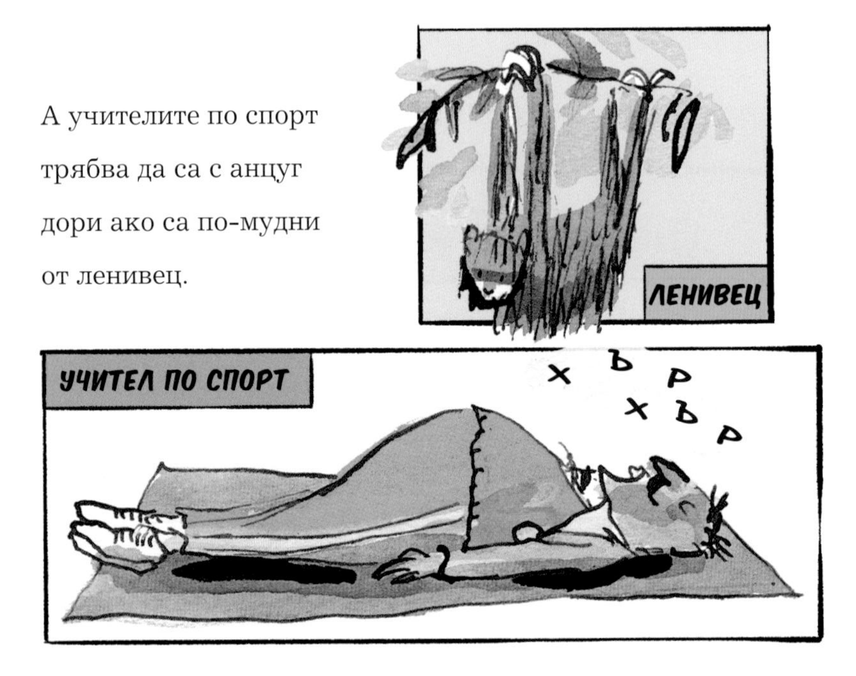

Балон имаше анцузи с различен цвят за всеки ден от седмицата.

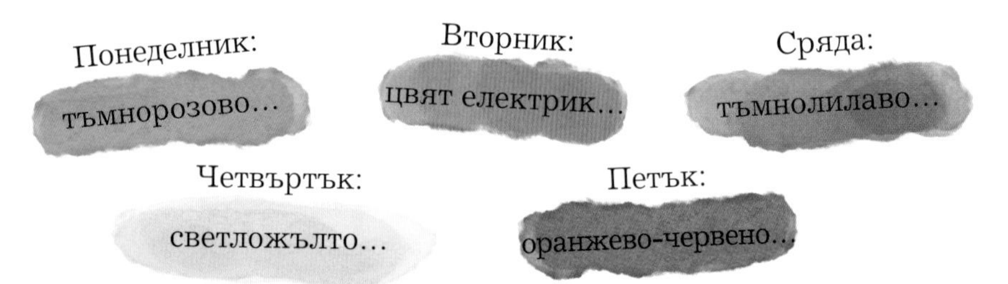

За да придаде завършеност на образа си, той носеше рунтави мустаци, прическа мълет и голям златен медальон, увиснал на косматите му гърди. Г-н Балон се смяташе за най-готиния учител наоколо. За жалост, никой не беше съгласен с него. Всички момчета от училище **ДРЪН-ДРЪН** му се присмиваха зад гърба.

– ХА! ХА! ХА!

Бяха му измислили прякор, който се предаваше от поколение на поколение.

НЕВЕРОЯТНИЯ БАЛОН

Това беше грубо, но той определено обичаше да си похапва. Винаги си носеше нещо **ГОЛЯМО** и месно. След милион изядени кренвиршки беше станал **ГИГАНТСКИ.** Макар да му липсваше външността на роден атлет, в часовете си той постоянно се хвалеше със спортните си постижения.

– Можех да спечеля турнира по тенис „Уимбълдън“ – обясняваше на учениците, нагъвайки пай със свинско. – Даже на двойки, като играя сам. Двама срещу един. Толкова съм добър. Гейм, сет и мач!

– Английският национален отбор ме молеше да му стана капитан за финала на Световната купа. Но аз съм дежурен на игрището в петъците, затова не успях.

ГООЛ!

– обявяваше той, като обсипваше децата с трохи от корнуолски пай.

ПРЪС! ПРЪС! ПРЪС!

– Проблемът е, че съм твърде добър боксьор. Ако изляза на ринга със световния шампион тежка категория, мачът ще свърши за секунди! Ще го нокаутирам с

БУУМ!

един удар. – хвалеше се, докато довършваше парче панирана наденица.

– Всъщност ми е забранено да играя в международни мачове по ръгби, защото не е честно спрямо другите играчи. Те просто ще се окажат стъпкани под краката ми, докато бележа гол след гол. Имам предвид, докато се ОПИТВАМ.

Той обичаше винаги да завършва със силен вик дори ако заради това кюфтето, което дъвче, излети от устата му и удари някое дете по окото.

– Баскетболът ми е спорт номер едно. Мога да вкарам кош от една миля. Със затворени очи. И с ръце, вързани зад гърба. Затова няма да ме видите да играя професионален баскетбол. Толкова ми е лесно, че е СКУЧНО! – хвалеше се, дъвчейки две кренвиршки наведнъж.

– МЛЯСС! МЛЯСС!

Разбира се, децата от **ДРЪН-ДРЪН** не вярваха и на една дума от всички тези глупости. Когато приключеше някой от разказите си, те завъртаха очи – единственото физическо упражнение, което правеха с него.

Веднъж едно момче попита:

– Г-не, щом сте толкова добър във всички тези спортове, защо преподавате тук, в **ДРЪН-ДРЪН**? Това училище никога не е печелило нищо!

Беше истина. Училище **ДРЪН-ДРЪН** имаше шкаф за награди, който стоеше празен. В действителност беше просто шкаф.

– Защото смятам да се погрижа да спечели злато! – отвърна Балон, отхапа от сандвича си с бекон и напръска момчето с кафяв сос.

Сандвичите с бекон бяха сред любимата храна на Балон, но той харесваше всичко, което се предлагаше в училищния стол:

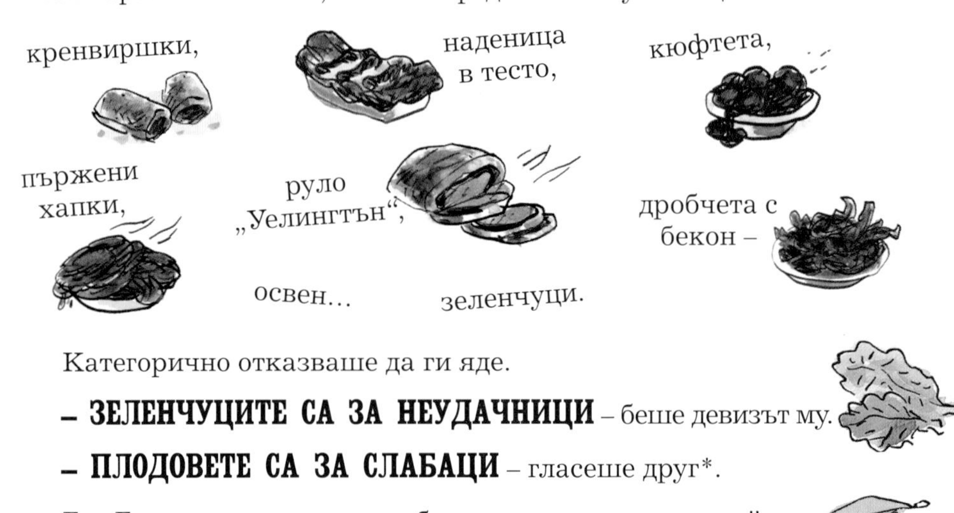

Категорично отказваше да ги яде.

– **ЗЕЛЕНЧУЦИТЕ СА ЗА НЕУДАЧНИЦИ** – беше девизът му.

– **ПЛОДОВЕТЕ СА ЗА СЛАБАЦИ** – гласеше друг*.

Г-н Балон даже си носеше бележка с подгънато крайче, уж от майка му, в случай че готвачката вземе да го притиска да хапне от едните или другите.

* Г-н Балон мислеше, че правилото „пет на ден“ за ядене на плодове и зеленчуци се отнася за пет различни вида салам.

Уважаема г-жо ~~гутв~~ готвачка,

Моля ви да ме освободите, имам предвид сина ми, г-н Балон, от ядене на плудуве и зилинчуци. Аз, имам предвид той, ~~е алирг агерл аглер~~ не ги харесва и може да се разплаче, ако ме накарате, имам предвид него, да ги яде. Те са гадни на вкус.

С благодарност,

майката на г-н Балон

Г-н Балон може и да не се интересуваше от плодове и зеленчуци (макар да не знаеше, имам предвид, майка му не знаеше как се пишат имената им), но учениците и учителите все пак тичаха към столовата в обедната почивка.

– ЗЪНН! – удряше звънецът за обяд. Все едно гърмваше стартов пистолет. Започваше състезанието.

Трябваше да пристигнат навреме, иначе Балон щеше да е изгълтал основното ястие, преди даже да се доберат дотам! Учителят вземаше целия поднос със спагети болонезе или каквото и да е ястието на деня.

После се клатушкаше до масата си…

КЛАТУШ! ПОЛЮШ! КУЦУК!

оставяше подноса с трясък…

… и заравяше лице в него.

Той не беше почитател на приборите за хранене.

– ПРИБОРИТЕ СА ЗА КРЪШКАЧИ! – бе поредният му девиз.

Г-н Балон ядеше като добитък от корито и почти не се надигаше да си поеме въздух.

– ХАМ-ХУМ! ХУМ-ХАМ! ХАМ-ХУМ!

Когато накрая се изправеше, за да вдиша, лицето му бе покрито с храна.

Тогава се оригваше шумно.

ОРИГ! СМРАД!

Оригванията му бяха невероятно ПЛЪТНИ. Направо можеше да ги режеш с нож.

После учителят преминаваше към десертите…

– ХАМ-ХУМ! ХУМ-ХАМ! ХАМ-ХУМ! ОРИГ!

СМРАД!

… преди най-накрая да излапа огромния, пълен с месо опакован обяд, приготвен от майка му. Цяло печено прасе, един метър салам и сто пилешки бутчета.

– ХАМ-ХУМ! ХУМ-ХАМ! ХАМ-ХУМ!

СМРАД!

Извинението му защо яде така?

– Ние, спортистите, се нуждаем от много енергия. Не искам да залинея! – заявяваше той, плясваше се по големия тлъст тумбак…

ШЛЯП!

РАЗКЛАЩ! ПОЛЮШ! ПОКЛАЩ!

… и се отдалечаваше с клатушкане.

След двата си обяда той се просваше на един гимнастически дюшек във физкултурния салон и дремеше до края на следобеда.

В яденето Балон може да беше удивителен, но в преподаването – не. Часовете му по физкултура бяха кръгла нула. Нещата се влошаваха от това, че наближаваше важен мач с училище съперник, а нито едно момче в училище **ДРЪН-ДРЪН** не бе тренирало футбол и една секунда. Не бяха виждали топка, камо ли да я ритат!

Предстоеше **УЧИЛИЩНИЯТ ФУТБОЛЕН ШАМПИОНАТ**, а пред отбора на „Дрън-дрън" се очертаваше поредната КАТАСТРОФА!

Всяка седмица момчетата молеха:

– Моля ви, моля ви, моля ви, може ли да изиграем един тренировъчен мач, г-не? Иначе ще ни спукат от бой!

– Някога разказвал ли съм ви моята история за световното по бадминтон? Ударих перцето толкова силно, че отлетя в далечния космос.

– ДА, Г-НЕ! – отвръщаха в хор децата. – МИЛИОН ПЪТИ!

Дните, седмиците и месеците отминаваха и

УЧИЛИЩНИЯТ ФУТБОЛЕН ШАМПИОНАТ наближаваше.

През времето, в което момчетата трябваше да усъвършенстват футболните си умения, Балон ги отегчаваше до смърт с разказите си как можел…

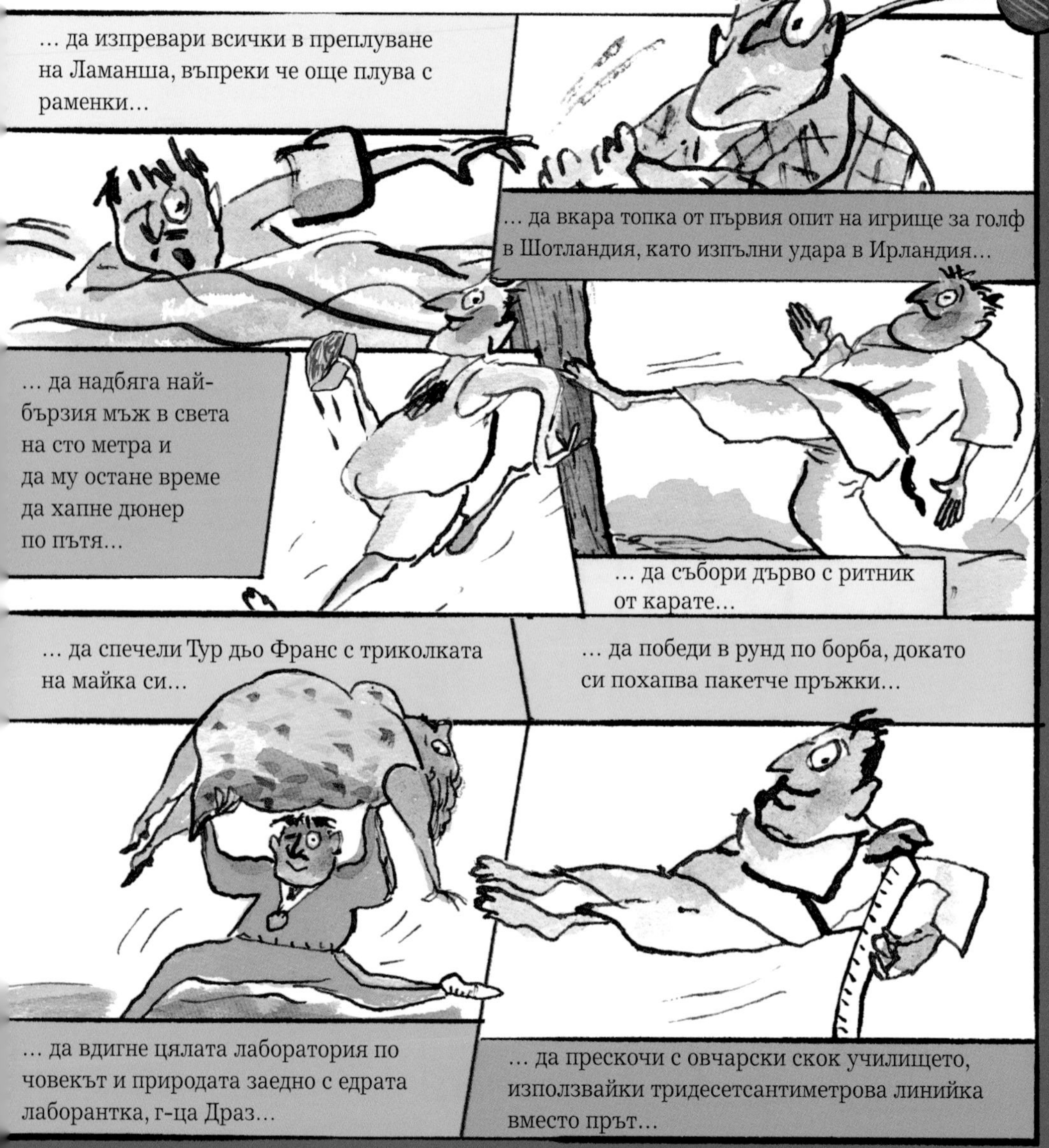

… да изпревари всички в преплуване на Ламанша, въпреки че още плува с раменки…

… да вкара топка от първия опит на игрище за голф в Шотландия, като изпълни удара в Ирландия…

… да надбяга най-бързия мъж в света на сто метра и да му остане време да хапне дюнер по пътя…

… да събори дърво с ритник от карате…

… да спечели Тур дьо Франс с триколката на майка си…

… да победи в рунд по борба, докато си похапва пакетче пръжки…

… да вдигне цялата лаборатория по човекът и природата заедно с едрата лаборантка, г-ца Драз…

… да прескочи с овчарски скок училището, използвайки тридесетсантиметрова линийка вместо прът…

Накрая дойде денят на важния мач. Училище ДРЪН-ДРЪН се изправяше срещу отбора на настоящия шампион, КОЛЕЖА „ГРУБ“. Той беше печелил

УЧИЛИЩНИЯ ФУТБОЛЕН ШАМПИОНАТ

всяка година през последния век. Не беше изненадващо, защото винаги мамеше.

Първо, макар мачът да беше за деца под дванадесет години, повечето играчи на КОЛЕЖА „ГРУБ“ изглеждаха много по-възрастни. Един от тях даже се обръсна точно преди началния удар.

БЗЗЗЗ!

Второ, КОЛЕЖЪТ „ГРУБ“ играеше НЕЧЕСТНО.
Играчите му отделяха повече време да те спъват…
ТУПП!
да те ръгат с лакти в очите…
ФРАСС!
или да те ритат в чатала…
БАММ!
отколкото да играят с топката.
РИИТ!
Трето, грижеха се винаги съдия да е някой от бащите на играчите.
УУУУ!
И така, таткото съдия изсвири начало на мача още докато отборът на ДРЪН-ДРЪН излизаше на терена!
СВИР!

– КЪМ МЕН! – викна капитанът на „ГРУБ“, който всъщност имаше брада. Отборът му се разгърна зад него. Изглеждаше като масово бягство от местния затвор. Виждаше се море от счупени носове, татуировки и космати крака.

Излишно е да споменаваме, че те разбиха противника си за секунди.

Горките играчи на „Дрън-дрън“ дадоха всичко от себе си, но нямаха шанс, не на последно място, защото не бяха имали каквато и да е възможност да тренират.

На полувремето реферът наду свирката си.

Резултатът бе 10 0 за КОЛЕЖА „ГРУБ“!

СВИР!

Не че г-н Балон беше обърнал особено внимание на играта. Той се интересуваше много повече от масата със сандвичи, приготвена, за да могат момчетата да се подкрепят след мача. За тяхно съжаление, Балон бе изял всичко освен един последен сандвич с пиле и къри. Сега учителят оглеждаше самата маса и се чудеше дали дървото е вкусно.

Останките от отбора на **ДРЪН-ДРЪН** се довлякоха до него.

– Г-н Балон, размазват ни! – поде капитанът. – Какво ще правим?

Учителят стоеше напълно неподвижно с изключение на една част от тялото му. Устата. Той дъвчеше и накрая преглътна последния сандвич.

ГЛЪТ! **ОРИГ!**

УЖАСНО ГАДНА СМРАД!

Тази беше пикантна.

Накрая той заговори.

– Слушайте, момчета, аз съм шампионът на шампионите!

– НЕ! ВИЕ СЛУШАЙТЕ! – избухна капитанът. – ВИЕ СТЕ

ШАМПИОН НА НИЩОТО! ИЗМИСЛЯТЕ СИ ВСИЧКО!

– ПЪЛНИ ГЛУПОСТИ! – добави вратарят.

– ЕДИНСТВЕНАТА ТОПКА, КОЯТО СЪМ ВИ ВИЖДАЛ ДА ХВАЩАТЕ, Е ОТ КАЙМА! – заяви централният нападател.

– ХА! ХА! ХА!

Целият отбор започна да се смее на учителя си, който се натъжи. Той вдиша дълбоко и заговори бавно и тихо.

– Не съм глупав. Знам как ме наричате зад гърба ми. Невероятния балон! Е, не съм виновен, че обичам да похапвам. И имам право да мечтая, нали така?

Изведнъж момчетата се почувстваха ужасно, че са му се подигравали, и се втренчиха във футболните си обувки.

– Сигурен съм, че някой ден мога да стана **КОЗА.**

– Да станете какво? – не разбра капитанът.

– КОЗА. Означава **„класен и особено заслужил атлет“!** И този ден... е ДНЕС!

С тези думи Балон се заклатушка към терена.

КЛАТУШ! ПОЛЮШ! КУЦУК!

– Сега наистина сме обречени – отбеляза капитанът на **ДРЪН-ДРЪН**. Той и съотборниците му останаха край страничната линия, докато момчетата от

КОЛЕЖА „ГРУБ“, ако можеше наистина да се нарекат момчета, се хилеха на г-н Балон, сякаш питаха: „Коя е тази грамадна буца?“.

– ХЪ! ХЪ! ХЪ!

Само че, когато капитанът на техния отбор се опита да го заобиколи с топката, Балон просто изпъчи огромния си корем и…

Момчето мъж нямаше никакъв шанс. То отскочи от „балона“ на Балон толкова силно…

ОТСКОК!

… че полетя във въздуха.

ФИУУ!

Капитанът на „ГРУБ“ се приземи на другия край на игрището в кална локва.

ШЛЯП!

ДЖВАК!

– Един по-малко! – подвикна Балон.

СВИИИИИРРРР!

Реферът наду свирката…

… и извади червен картон, за да изгони учителя по физическо.

– Как смееш! Това е синът ми! Едва е навършил тридесет! – изкрещя съдията.

– О, смея – отвърна Балон. – И ОЩЕ КАК!

След това блъсна рефера с шкембето си.

– АААХ!

То го изпрати да се носи в небето. Полетът му завърши на покрива на църква, където задникът му се забучи на шпила*.

– АУУУ!

В този момент един от супербързите нападатели на КОЛЕЖА „ГРУБ“ овладя топката. Всъщност той я носеше**.

Точно когато щеше да я пусне в краката си и да стреля към вратата, Балон се доклатушка на пътя му. Нападателят се НАТРЕСЕ право в тумбака на учителя.

–УФФ! ПОЛЮШ!

Той се стрелна във въздуха...

ФФИИУУ!

... профуча покрай собствения си вратар и се удари в мрежата зад него.

* Шпил е едно от най-болезнените неща, които могат да ви убодат отзад. Други примери включват кактус, таралеж и средновековен боздуган, от които не препоръчвам никое.

** Не съм специалист, но доколкото знам, това е против правилата на футбола.

– викна триумфално Балон, макар че всъщност не беше.

Отборът на ДРЪН-ДРЪН заликува въпреки това.

– УУРРАА!

Директорът на КОЛЕЖА „ГРУБ“, г-н Скрътц, излезе тежко на терена.

ТРОП! ТРОП! ТРОП!

Той запретна ръкави и вдигна юмруци, сякаш се канеше да се бие.

– КАКВО СИ МИСЛИШ, ЧЕ ПРАВИШ, ПО ДЯВОЛИТЕ? – попита с възмущение.

– ТОВА! – отговори с усмивка Балон, блъсвайки го с корем.

ПОЛЮШ! БЛЪС! – АААХ!

От удара мъжът излетя над тълпата зрители.

ФИУУУ!

Скръц се заби с главата напред в едно дърво…

БАММ!

… и изпадна в несвяст.

Той се плъзна по ствола, удряйки абсолютно всички клони по пътя си.

БАММ! БАММ! БАММ!

БАММ! БАММ!

Накрая се свлече в тревата, размазан на пихтия.

СВЛЕЧ!

– ДУФФ! – възкликна Балон. – Кой е следващият?

Треперейки от страх, отборът на КОЛЕЖА „ГРУБ“ избяга в далечния край на игрището. С изключение на най-мускулестия от групата, който пристъпи към Балон. Той подаде бирата си на един съотборник и се втренчи в учителя по физическо.

– Не ме е страх от тебе, дебелако! – изръмжа с плътен мъжки глас. Всъщност беше толкова възрастен, че бе напълно плешив. На кокалчетата му бяха татуирани думите „МРАЗЯ“ и „МРАЗЯ“.

Балон се усмихна.

– ХАЙДЕ ТОГАВА, ДРЕБОСЪКО!

Кубето* ритна здраво топката.

БУФФ!

ФИИУУ!

После хукна след нея по терена.

ТРОП! ТРОП! ТРОП!

Балон направи няколко тромави стъпки назад към вратата на ДРЪН-ДРЪН.

КЛАТУШ! ПОЛЮШ! КУЦУК!

Учителят по физическо беше толкова широк, че почти закриваше цялата врата. Като нямаше друг избор, Кубето се ЗАБИ право в грамаданския му корем.

ПОЛЮШ!

* „Кубето“ е груб прякор, но другата възможност беше „Плешо“.

* Една ябълка паднала от дърво на главата на Исак, което го подтикнало да измисли теорията си за гравитацията. Добре че върху него не паднало цялото дърво, понеже всички още щяхме да се реем в космоса.

Кубето се стовари върху останалите от отбора на „ГРУБ“ с ужасна скорост, като топка за боулинг върху кегли…
БАФ!
БОФ!
… и ги разхвърля във всички посоки. Един падна в плет.
ПРАСС!
Друг – в кофа за боклук.
ШУМУЛ!
Един се удари в зрителите и те също се разлетяха.
БУФФ!
Друг се блъсна с главата напред в г-н Скръц.
ДАНН!
Точно когато директорът на „ГРУБ“ се беше свестил, отново бе зашеметен.
ТУПП!
Последният играч на КОЛЕЖА „ГРУБ“ всъщност се приземи в Белгия.
ТУПУРР!

– Какво чакате, ДРЪН-ДРЪН? – извика г-н Балон.

Отборът му се изсипа на терена. С пъшкане и пухтене Балон се доклати чак до вратата на „ГРУБ". Това наистина беше звездният му миг и той искаше цялата слава. Опря се на гредата, за да си поеме дъх, и нареди:

– ПОДАЙ НА МЕН!

Момчето го послуша и Балон леко чукна топката през линията.

– ГОЛ! – възкликна той.

Учителят по физическо никога не бе изглеждал по-щастлив.

– КЪМ МЕН!

Отборът на ДРЪН-ДРЪН се подчини.

Абсолютно никой не се изненада, когато бе вкаран втори гол.

Скоро учителят беше вкарал стотици голове. За повечето даже не риташе, топката просто отскачаше от големия му дебел крак. Трудно беше човек да ги брои, но реферът се постара колкото можеше от върха на църковния шпил и извика:

– 397!

Когато наду свирката си за край на мача…

… Балон започна победна обиколка около игрището. Вече беше твърде изтощен дори да се клатушка, затова разпореди на отбора на ДРЪН-ДРЪН:

– НОСЕТЕ МЕ!

– Какво, г-не? – попита капитанът.

– НОСЕТЕ МЕ!

– Сигурно се шегувате!

– НОСЕТЕ МЕ!

– Но, г-н Балон, вие може би тежите цял тон!

– Всъщност два тона! Хайде сега, току-що ви спечелих купата. Дайте на шампиона победната му обиколка. Хайде!

МОЛЯ ВИ! НОСЕТЕ МЕ!

Момчетата се спогледаха загрижено. Капитанът им нареди да се съберат около учителя си по физическо и на „три“ да го повдигнат във въздуха.

– ЕДНО! ДВЕ! ТРИ!

Напрегнали всички сили, те го издигнаха нагоре.

За миг удържаха тежестта. Но само за миг. Малките им ръце поддадоха и Балон се стовари върху тях.

ТУП!

– СМАЧКАН СЪМ!

За съжаление, Балон така и не се добра до победната си обиколка. Но когато всички момчета от отбора на **ДРЪН-ДРЪН** излязоха от болницата, бе свикано специално събрание. На него пред цялото училище, в лъскав нов златист анцуг с избродирани букви **КОЗА** на гърба, г-н Балон най-после получи своя миг слава. Той вдигна над главата си трофея от **УЧИЛИЩНИЯ ФУТБОЛЕН ШАМПИОНАТ**.

– ДА! КЛАСЕН И ОСОБЕНО ЗАСЛУЖИЛ АТЛЕТ! – заяви той и всички го аплодираха.

– УУРРАА!

За да отпразнува, г-н Балон захапа огромен сандвич с наденица.

ОРИГ!

ХАММ!

Оригването беше толкова плътно, че образува облак, от който заваля сос грейви*.

Събитията от този разказ вече са няколко години в миналото, но г-н Балон все още е учител в училище **ДРЪН-ДРЪН**. И до днес той отегчава до смърт децата с щурите си самохвалства за спортни постижения.

* Това е възможно. Гений или не, сър Исак Нютон го е пропуснал.

Разбира се, всичките му истории са дрънканици. Освен една. Тази за деня, в който е вкарал невероятните 397 гола. Точно тя е пълна и неподправена истина.

Момчетата бяха прави от самото начало.

Г-н Балон наистина беше

Г-ЖАПЛЬОК
и салонът на
ужасите
ПЛЮК
ПЛЯК
ПЛЬОК
УЧИЛИЩЕ „ПОМИЯ“
ГОТВАЧКА

Г-ЖА ПЛЬОК
и салонът на ужасите

„ЗЛА“ Е СИЛНА ДУМА, но недостатъчно силна да опише г-жа Пльок. Тя беше готвачка, която управляваше с желязна ръка. Буквално. Имаше само една истинска ръка – другата бе от метал.

Легендата гласеше, че бъркнала в тава с нейния собствен

сос грейви, за да извади лъжица, а сосът бил толкова токсичен, че ѝ стопил ръката.

ФССС! ПССС! ЦССС!

Металната ръка на г-жа Пльок не беше единствената телесна част, добавена към нея през годините.

О, не.

Едно от ушите ѝ бе гумено. То беше лъскаво и много по-голямо от другото и тя не чуваше през него. Според слуховете отрязала по невнимание собственото си ухо, докато кълцала дроб с брадва.

ОТРЯЗ!

Лявото ѝ око беше стъклено. Преданията на УЧИЛИЩЕ ПОМИЯ твърдяха, че изскочило, докато пердашела с чука за пържоли парче особено жилаво месо. Като го видяла да се търкаля по тезгяха, тя го помислила за твърд бонбон и го глътнала наведнъж.

ГЛЪТ!

Пльок също така имаше дървен крак. Историята, предавана от поколения ученици, беше, че готвачката паднала във вана с врял яйчен крем и кракът ѝ изгорял.

ФСССССС! ПСССССС! ЦССССС!

Освен това готвачката носеше страховита черна перука с твърди косми. Според легендите бе опърлила цялата си коса и веждите, когато отворила фурната да извади касеролата, в която готвела, и тя избухнала. Под перуката си Пльок бе плешива като яйце.

Тя я сваляше, когато се налагаше да изтърка добре някои от допотопните си тенджери и тигани.

Поради това перуката беше пълна с черни изгорели късчета и мазни кафяви остатъци.

Зъбите на Пльок бяха изкуствени. Разказваше се, че загубила своите, като захапала една от собствените си твърди курабии. Те имаха печалната слава, че са по-корави от бетон.

Със същия успех бихте могли да захапете някоя сграда. Всъщност би било по-вкусно.

Ченетата на Пльок тракаха в устата ѝ.

ДРЪН! ТРАК! ХЛОП!

Понякога даже изхвърчаваха, когато тя крещеше на някого.

– Я СЕ ВЪРНИ ТУКА, ВРЕДИТЕЛ ТАКЪВ...!*

БАММ!

– ООХХ!

Г-жа Пльок беше готвачка на 

от незапомнени времена.

Никой не знаеше възрастта ѝ. Със сигурност изглеждаше много стара. Някои ѝ даваха осемдесет, други – сто години. Шепа деца вярваха, че може да е живяла хилядолетия, като вампирите, неспособна да умре, обречена да броди по земята завинаги. Това може и да е истина.

Може би ще ви е интересно да узнаете, че най-лошите училищни готвачки в света членуват в тайна организация.

ТОНУГ

Това се разшифрова като

* Тя обичаше да нарича децата „вредители", макар че разнасящите зарази гризачи бяха една от основните съставки в ястията ѝ.

ТОНУГ се събира всяка неделна вечер около полунощ на свръхсекретно място* точно преди да започне учебната седмица. Това им дава възможност да споделят противни рецепти, да обменят готварски прибори (които служат и като уреди за мъчения) и да изберат нова върховна водачка. Г-жа Пльок е начело на **ТОНУГ** от петдесет години. Въпреки че останалите готвачки са свирепи, никоя не се и осмелява да я предизвика. Вие бихте ли го направили?

* Не мога да ви разкрия местоположението. Ако го направя, ще трябва да изляза в нелегалност, иначе готвачките ще ме открият и ще ме накарат да изям един тон варено цвекло.

Г-ЖА ПЛЬОК И САЛОНЪТ НА УЖАСИТЕ

Г-жа Пльок изпитваше голямо удоволствие да сервира възможно **най-отблъскващата** храна.

През повечето дни това беше страховитата ѝ яхния. Тя обичаше да готви яхнии, защото можеше да слага в тях всичко, с което разполага. И така, днешната яхния можеше да съдържа всички остатъци от вчерашната. А вчерашната беше с всички остатъци от онзиденшната. И така нататък. Беше напълно възможно да ядете остатъците от миналата седмица, миналия месец, миналата година, миналото десетилетие или миналия век.

Не само остатъци обаче. О, не. Във вонящите яхнии на г-жа Пльок **плуваха** всякакви неща:

Тел за търкане

Долни гащи на старец

Таралеж

Джапанка

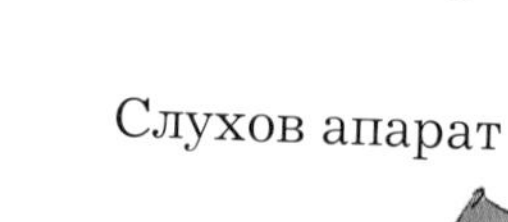

Слухов апарат

Използвана кърпичка (с петна от сополи)

Чорапогащи с бримки

Ръкавица за чистене

ГОЛЕМИ НЕПРИЯТНОСТИ очакваха всекиго в **УЧИЛИЩЕ ПОМИЯ**, който не изпразнеше чинията си. Включително учителите. Г-ца Пльок се надвесваше над тях, размахала железен черпак в железния си юмрук, докато изядат и последния залък. В противен случай ги удряше силно по кокалчетата…

… и им крещеше:

– ИЗБЛИЖИ СИ ЧИНИЯТА, ВРЕДИТЕЛ!

Разбира се, ако някой си избличеше чинията, това също така пестеше от времето за миене на г-жа Пльок. Така че си беше ЕКСТРА.

Яденето на училищен обяд бе задължително за всички в УЧИЛИЩЕ ПОМИЯ. Пакетираните обеди бяха строго забранени. Пльок се бе погрижила за това. Тя и армията ѝ от готвачки всяка сутрин претърсваха влизащите през

училищния портал. Изпразваха се джобове и чанти. Всички забранени пакетчета чипс, кексчета и блокчета шоколад се конфискуваха от готвачките, които после си ги изяждаха.

МЛЯС! МЛЯС! МЛЯС!

Веднъж Пльок изяде даже дървена кутия за моливи.

Беше кафява и тя искаше да се увери напълно, че не е шоколад.

ХРУУУСС!

Всъщност доста ѝ хареса.

– МММ!

Макар че изкуствените ѝ зъби заседнаха в дървото.

– ЗЪБИТЕ МИ!

Г-жа Пльок държеше

в хватката на УЖАСА. Всички деца изпитваха смъртен страх от нея.

Освен едно.

Жвачка.

Момичето бе наречено така, понеже ВИНАГИ дъвчеше дъвка и бе специалист по балончетата. Можеше да ги надува до размер на плажна топка, преди да се спукат.

ПУК!

Сутринта, в която започва нашият разказ, Жвачка влезе наперено през портите на училището, дъвчейки дъвка както винаги.

ЖВАК! ЖВАК! ЖВАК!

Разбира се, г-жа Пльок я чакаше с армията готвачки зад гърба си.

– Изплюй дъвката, вредител такъв! – нареди Пльок, втренчила в момичето здравото си око.

– Защо, г-жо Плюк? – попита то. Обичаше да бърка нарочно името ѝ.

– Казвам се Пльок, не Плюк. И не можеш ли да четеш?

С металния си пръст готвачката посочи огромна табела, която бе закачила на стената на училището, с надпис:

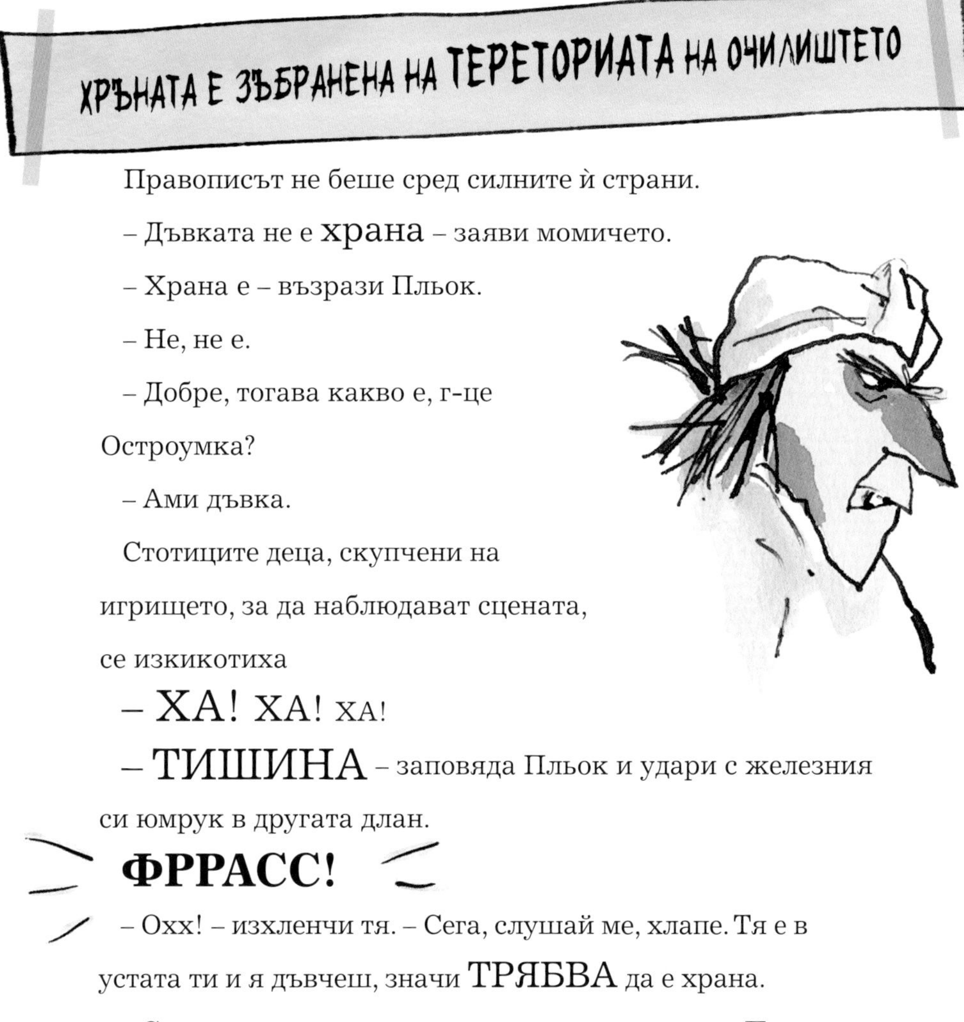

Правописът не беше сред силните ѝ страни.

– Дъвката не е храна – заяви момичето.

– Храна е – възрази Пльок.

– Не, не е.

– Добре, тогава какво е, г-це Остроумка?

– Ами дъвка.

Стотиците деца, скупчени на игрището, за да наблюдават сцената, се изкикотиха

– ХА! ХА! ХА!

– ТИШИНА – заповяда Пльок и удари с железния си юмрук в другата длан.

ФРРАСС!

– Охх! – изхленчи тя. – Сега, слушай ме, хлапе. Тя е в устата ти и я дъвчеш, значи ТРЯБВА да е храна.

– Съжалявам, че ще го кажа, но грешите, г-жо Пляк…

– ПЛЬОК!

– Както и да е. Номерът с дъвката е, че я изплювате, след като я сдъвчете. Което бихме искали да правим и с отвратителните ви училищни обеди.

– ХА! ХА! ХА! – изкикотиха се децата.

Момичето пък пукна огромен балон от дъвка в лицето на готвачката...

ПУК!

... и си тръгна предизвикателно.

– ХА! ХА! ХА!"

Пльок обели розовата ципа от лицето си. Преди да успее да си отмъсти, би звънецът за първия учебен час.

З Ъ Н Н !

Тя кипеше от ярост. Бяха я направили на глупачка. Сега беше решена да пречупи този **„вредител"**, веднъж завинаги.

Пльок докуцука в столовата, или **САЛОНА НА УЖАСИТЕ**, както го наричаха децата от **УЧИЛИЩЕ ПОМИЯ**.

ТУП! ТУП! ТУП! тупаше дървеният ѝ крак.

Щом се върна в кухнята си, готвачката се зае да подготвя

ПЪКЛЕН ПЛАН.

– Днес – обяви тя на армията си от готвачки – ще сътворим най-отблъскващия, негоден за ядене, смъртоносен обяд на всички времена!

– Мислех, че това го правим всеки ден – обади се онази с очилата.

– Права си, благодаря, но днес искам да дам на онази **вредителка** незабравим урок.

– Жвачка! – възкликна онази с гърбавия нос.

– Да! Позна! Искам храната, която ще сервираме днес, да я прогони!

Из кухнята се разнесоха одобрителни възгласи.

– УУРРАА!

Готвачките незабавно се заловиха за работа. До обяд Пльок и шайката ѝ бяха сътворили най-противното меню за училищен обяд в историята.

З Ъ Н Н !

Прозвуча звънецът за обедна почивка. Пльок свали перуката си, забърса набързо плота, шляпна перуката обратно и зае позиция зад подносите с храна, ако можеше да се нарекат така.

Железният ѝ черпак бе стиснат в железния юмрук, здравото ѝ ухо се ослушваше за Жвачка, а окото се оглеждаше за нея.

Щом Жвачка бутна двойните врати на столовата…

ТРЯСС!

… момичето се стъписа от миризмата.

СМРАД!

Храната винаги вонеше, но днес зловонието ѝ беше зашеметяващо.

СМРАААААД!

Всички ученици и учители от **УЧИЛИЩЕ ПОМИЯ** се давеха и кашляха с насълзени очи.

– К Х Ъ ! К Х Ъ ! К Х Ъ !

– ВОДА! ВОДА!

– ПОВИКАЙТЕ ЛИНЕЙКА!

Стиснала носа си с пръсти, Жвачка притеснено се приближи до плота с храната. Там клокочеше нещо, което изглеждаше като яхния, но миришеше на лагерна тоалетна*.

ЯХНИЯ

– Срещаме се отново, хлапе – измърка Пльок.

– Добър ден, г-жо Плик – изчурулика момичето.

– ПЛЬОК!

– Точно това казах. Пляк. Каква яхния е това?

– ЯХНИЯ като ЯХНИЯ! – изрева Пльок и изкуствените ѝ зъби изхвърчаха през **САЛОНА НА УЖАСИТЕ.**

* Ако не сте лагерували сред природата, използвайте въображението си. Но повярвайте ми, беше ЗЛОВОНСТВЕНО**.

** Истинска дума, която ще откриете в *Уолямсречника*.

ФИИУУ!

Те цопнаха в супата от коприва на някакво злощастно дете.

ДЗЪН!

ПЛЬОК!

– ПФУУ!

За щастие, една от готвачките, онази с косматата брадичка, ги отнесе обратно на славната си водачка.

– Имах предвид какво е месото? – поинтересува се момичето.

– Прегазено животно – обясни Пльок, след като намести ченето си. – Приличаше на катерица. Може да е било лисица. Или едър риж плъх. Трудно е да се каже. Камионът го беше размазал. **ПЛЯК!**

– Адски противно! – отсече момичето.

– Много ти благодаря, дете – отвърна готвачката. Това наистина беше голяма похвала.

– Това няма да го ям.

– Няма значение, няма значение – измърка готвачката и поведе момичето покрай плота към нещо още по-гнусно. – Предлагам също и този пай, току-що излязъл от пещта.

Детето надникна надолу към него.

– Що за пай е това? – попита то.

– ПАЙ като ПАЙ! – зъбите ѝ отново полетяха навън.

ФИИУУ!

Паднаха в желирания крем от бръмбари на един учител.

ПЛЯЯК!

– ПФУУ!

Този път готвачката с превръзка на окото ги върна на Пльок.

– Вземи си резенче! – нареди Пльок. – Изненада е! Моят специален Пай изненада!

Точно тогава Жвачка зърна под горния слой тесто нещо да се **движи**! Беше ЖИВО!

– Какво беше това? – настоя тя, сериозно изплашена.

– Какво беше кое, хлапе? – попита с престорена невинност готвачката.

– Нещо помръдна под тестото!

В този момент отдолу се показа нокът. Пльок го перна с черпака си.

ФРАССС!

– ГРРРР! – каквото и да бе нещото в тестото, то **изръмжа.**

– Гордея се, че използвам само най-пресни съставки – обяви Пльок.

– Едно е да е прясно, друго е да е още живо! Това няма да го хапна НИКОГА!

На готвачката започна да ѝ писва от толкова приказки. Тя искаше момичето да изяде нещо, при това бързо.

– Ами, има още един избор, дете – каза тя и дръпна момичето още по-нататък покрай плота. – И съм запазила най-доброто за накрая. Дъмплинги.

Въпросните „дъмплинги“ бяха кафяви, изпускаха пара и изглеждаха, сякаш някое животно ги е „снесло“ тази сутрин.

– Това не са дъмплинги! – възкликна Жвачка.

– О, напротив, детето ми, такива са. При това с естествен животински произход.

Пльок се изкиска под мустак. Зад нея групата готвачки се изхилиха.

– ХЪЪ! ХЪЪ! ХЪЪ!

Момичето беше непреклонно.

– Никога, никога, никога няма да вкуся от това.

– О, ще вкусиш, хлапе. Това беше последният ти избор. Значи остават дъмплингите!

Пльок понечи да сипе от пускащите пара кафяви кошмари в чинията на момичето.

– НЕ! – извика Жвачка.

Беше толкова гръмогласно, че целият **САЛОН НА УЖАСИТЕ** потъна в мълчание.

Никой не се осмеляваше да каже „не“ на г-жа Пльок. Всички очи се обърнаха към готвачката, която изригна в най-злокобния си смях.

– ХЪЪ! ХЪЪ! ХЪЪ!

Смееше се толкова силно, че ченето ѝ отново отхвръкна и цопна в яхнията.

ПЛЬОСС!

То опръска момичето от глава до пети.

– ПФУУ! – възкликна Жвачка.

После изведнъж усети парене като от огън.

– АУ! Кожата ми гори!

– Ами наистина харесвам яхниите си **по-пикантни** – призна готвачката. Тя бръкна с железния юмрук в тенджерата…

ФЪССС!

… и извади фалшивите зъби, за да ги набута обратно в устата си.

НЯМА ДА ЯМ НИЩО ОТ **ТЕЗИ ГАДОСТИ!**

– кресна момичето.

– Все нещо трябва да ядеш, дете – отговори готвачката.

– АМИ НЯМА! – не отстъпи Жвачка.

– Дори едно грахче? – предложи уж невинно готвачката.

– Грахче?

– Да. Мъничко грахче. То не би могло да ти навреди, нали, дете?

Момичето се чувстваше несигурно. Това звучеше като капан.

– Само едно грахче? – попита Жвачка.

– Само едно грахче.

– Без сос върху него?

– Без сос.

– Без никакви подправки?

– Без подправки.

– Без да е пълнено с нещо?

– Без пълнеж.

– Тогава добре – обяви Жвачка. – Днес за обяд ще изям едно грахово зърно! 

Готвачката се ухили **ЗЛОБНО**.

– Едно грахово зърно идва след минутка, дете!

Жвачка огледа купчините храна. Имаше **планини** от зеленчуците, които децата винаги мразят – брюкселско зеле, цвекло, ревен, зеле, броколи, но нито зрънце грах.

Нито едно.

– Къде точно е това грахче? – настоя момичето.

– Просто ти го държа топло, детето ми! – обясни Пльок.

После готвачката започна да издава най-ужасни звуци през **носа** си.

ХЪРР! ПРЪХ! ПУХХ!

– Какво правите, по дяволите? – запита Жвачка.

– Само ти изваждам грахчето!

ПУФФ! СМРЪК! ХЪРР!

С последното изхъркване едно зелено топче изскочи от носа ѝ и падна на чинията на момичето със З В Ъ Н !

Момичето се втренчи надолу в него.

– Това не е грахче – каза то не без основание.

– Ами какво е тогава, дете? – измърка Пльок.

Готвачката я беше изиграла!

– ТОВА Е СОПОЛ! – викна изнурено Жвачка.

– Млъкни и си яж зеленчуците! Зеленчуците са полезни!

– Не всичко зелено е зеленчук!

– Изяж го!

– Няма!

– О, да, ще го изядеш! О, ДА, ЩЕ ГО ИЗЯДЕШ!

С тези думи Пльок грабна момичето за раменете и го принуди да седне на пейката.

– ЯЖ, ГАДИНО, ЯЖ! – заповяда тя.

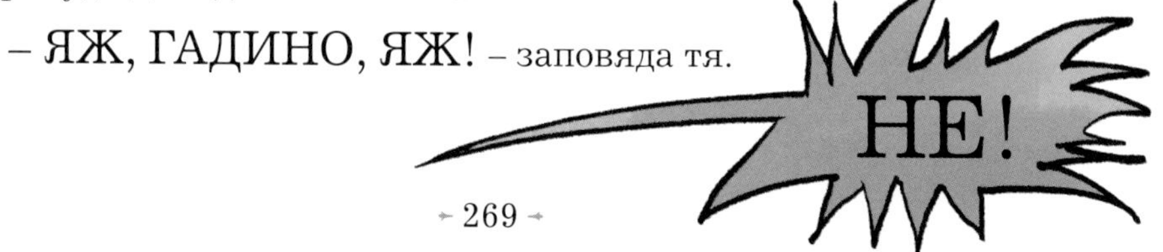

Готвачката стовари железния си юмрук

върху масата…

ТУП!

… и чиниите подскочиха във въздуха.

ДРЪНН!

ТРАААКА! ТРЪЪЪКАА! ТРААААК!

Децата, седнали около масата, бяха **засипани** с яхния, пай и дъмплинги.

– ГАДОСТ! – развикаха се те. Беше отвратително да те залеят с тях, макар да бе по-добре от това да ги ядеш.

– ИЗЯЖ ГО! ИЛИ ОБЕЩАВАМ, ЧЕ МНОГО ЛОШО ТИ СЕ ПИШЕ! – кресна Пльок. Зъбите ѝ пак полетяха…

ФИИУУ!

… удариха едно момче по главата…

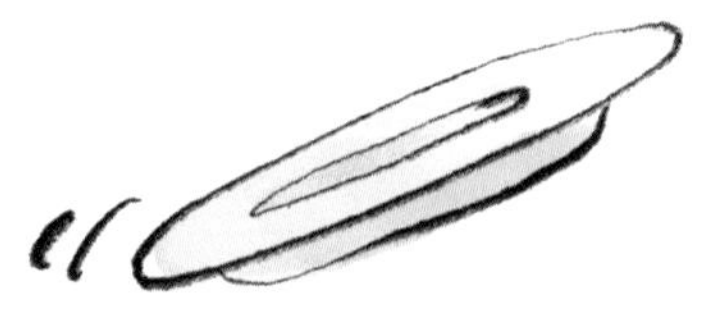

БАММ!

То заби лице в яхнията си.

ПЛЯК!

– КАЗАХ „НЕ“! – извика момичето.

Пльок толкова се вбеси, че изкрещя „ВРЕДИТЕЛ!“ и фрасна стената с железния си юмрук.

ДАНН!

В стаята избухна облак прах.

БУФФФ!

Всички се разкашляха и задавиха.

– КХЪ! КХЪ! КХЪ!

Пльок се напъна да издърпа юмрука си от стената, но не успя.

– ЪЪЪХ! ЪЪЪХ! ЪЪЪХ!

Юмрукът беше заседнал там. Тя дърпаше и дърпаше, и дърпаше, но той просто не помръдваше.

– ВИЖ КАКВО ПРИЧИНИ НА ПРОКЛЕТАТА МИ РЪКА, ХЛАПЕ! – изръмжа готвачката.

Тя опря крак на стената, за да ѝ послужи за лост. После затегли и тегли, и тегли, докато…

ПУК!

… ръката ѝ изскочи от металната китка.

– НЕ! – изпищя Пльок.

Без железния си юмрук готвачката се чувстваше безсилна. Без да мисли, тя отвинти дървения си крак, за да заплашва с него.

ВРЪТ! ВРЪТ! ВРЪТ!

БУУФФ!

Стовари го върху масата.

– ТОВА ТЕ ЧАКА, ГАД ТАКАВА!

Ако първо се беше замислила, Пльок щеше да осъзнае, че за разлика от фламингото не може да стои на един крак. По лицето ѝ пробяга ужас, когато разбра, че губи равновесие.

– НЕЕЕ! ДРУС!

Преди да се усети, лежеше по лице върху мазния под на столовата.

– ОООХ!

На всичко отгоре стъкленото ѝ око изскочи от ямката си и се затъркаля по пода. ТЪЪЪРРРКУЛЛЛЛЛЛЛ!

Докато тя се опитваше да се изправи, гуменото ѝ ухо падна.

ШШЛЯПП!

Готвачката го вдигна и стресна децата с него, като го навря в лицата им.

– ПФУУ!

– НЕЕЕ!

– ПОМОЩ!

– НЕ МИСЛЕТЕ, ЧЕ НЕ ВИ ЧУВАМ, ДЕЦА – изрева тя.
– СЕГА, ВРЕДИТЕЛКО, ИЗЯЖ ТОВА ГРАХЧЕ!

– НЕ – извика Жвачка.

От безсилие Пльок отскубна перуката си и я запокити по момичето.

ФФФФИИИИИИУУУУУ!

Жвачка се приведе и тя падна в яхнията на престарелия учител по история, г-н Античен.

ПЛЬОСС!

– Извинете, мадам – обади се той. – Мисля, че в яхнията ми има косъм.

Все пак старецът продължи да яде. Той всъщност харесваше храната на г-жа Пльок, но беше единствен.

Готвачката вече бе половин жена, с липсващи крак, ръка, перука, ляво око и ляво ухо. Въпреки това пълзеше право към Жвачка.

– ЩЕ МИ ИЗЯДЕШ СОПОЛА, ГАДИНО ТАКАВА, АКО ЩЕ ДА ПУКНЕШ СЛЕД ТОВА!

– О, не, няма!

Бързо като светкавица момичето бръкна в джоба на сакото си и извади огромен пакет дъвки.

Марката беше

Щом го разопакова, тя натъпка целия пакет **ДВОЙНИ БАЛОНИ** в устата си и трескаво задъвка.

– МММ! МММ! ммм!

После, веднага щом стана възможно, Жвачка започна да надува балон.

ПФФ! ПФФФ! ПФФФФ!

– БЕЗ ДЪВКА В СТОЛОВАТА, ВРЕДИТЕЛКО! – изрева Пльок откъм пода.

Но Жвачка надуваше и надуваше, и надуваше, и надуваше.

ПФФФ!

Балонът първо стана колкото топка за пинг-понг.

ПФФФФ!

После – колкото диня.

– ИЗПЛЮЙ ТОВА ВЕДНАГА!

ПФФФФФ!

После – с размера на глобус.

ПФФФФФФ!

Накрая порасна колкото летателен балон.

– СЕГА ЩЕ ТИ ПУКНА БАЛОНА ЗА ПОСЛЕДЕН ПЪТ!

Пльок вдигна пръст към балона и се опита да го ПРОДУПЧИ с дългия си мръсен нокът.

МУШ! МУШ! МУШ!

Само че, вместо да се спука, той я обгърна. След миг готвачката се оказа заклещена вътре в него.

– ПУСНИ МЕ ДА ИЗЛЯЗА, ВРЕДИТЕЛКО ТАКАВА! ПУСНИ МЕ! – завика тя, докато блъскаше с ръка по стената от розова дъвка, която я бе пленила.

– НУЖНА МИ Е ПОМОЩТА ВИ, ДЕЦА! – извика Жвачка. – НА ВСИЧКИ ДО ЕДИН!

Учениците в столовата наскачаха на крака.

– Дръжте вратите отворени! – нареди момичето.

Двете хлапета най-близо до входа се подчиниха.

– Останалите се съберете около мен и духайте!

– Да духаме? – попита най-малкото момченце.

– Доверете ми се! Ще се получи само ако всички участваме! ТРИ! ДВЕ! ЕДНО! ДУХАЙТЕ!

Децата вкупом изпълниха указанието ѝ. Присвиха устни и задухаха с всички сили.

Заедно учениците от УЧИЛИЩЕ ПОМИЯ създадоха толкова силен вятър, че той издуха гигантския балон от дъвка и затворената в него Пльок навън от **САЛОНА НА УЖАСИТЕ.** Готвачките загледаха удивено как славната им водачка се носи покрай тях.

– НЕЕЕЕ!

викаше Пльок, докато блъскаше по стената от дъвка. Тя се опита да изплюе изкуственото си чене, за да пробие дупка.

– ПЛЬОК!

ИУУУУ!

Но зъбите отскочиха от розовата ципа и я праснаха точно по носа.

БАМММ!

– ОООХ! – изпищя тя, докато минаваше през вратите навън към площадката.

– ДЕЦА! СЛЕДВАЙТЕ Я! И НЕ СПИРАЙТЕ ДА ДУХАТЕ! – изкомандва Жвачка.

ффФФФИИИИИИУУУУУ!

Скоро хлапетата издигнаха балона високо във въздуха. Преди да се усетят, злата г-жа Пльок се превърна в малка розова точица в небето.

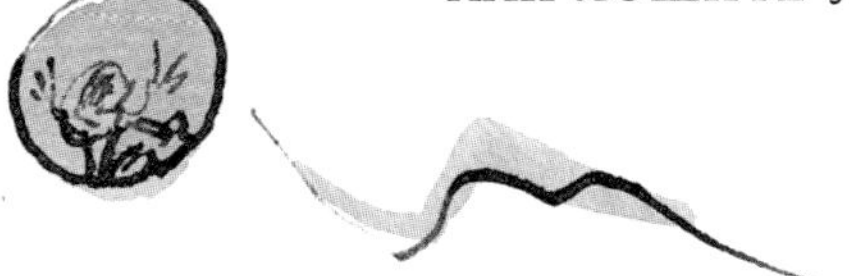

– ДОВИЖДАНЕ! – извика Жвачка. – На нас, вредителите, много ще ни липсваш!

Децата се разсмяха от сърце.

– ХА! ХА! ХА!

– Така! Сега да си поръчаме пица! – викна момичето.

– ДАА! – заликуваха всички.

СТРАХЪТ
НА Г-Н ФОБ
УЖАС
УЖАС
НЕОПИСУЕМ УЖАС
УЧИЛИЩЕ ЗА УЖАСНИ МОМЧЕТА „ДЯВОЛСКА РАБОТА“
ДИРЕКТОР

СТРАХЪТ НА Г-Н ФОБ

НЕ ВСИЧКИ от най-лошите учители на света са **ЗЛОДЕИ.** Някои всъщност са много, много, **МНОГО** неспособни учители.

Това е история за един много, много, много, **МНОГО, МНОГО** неспособен учител. В действителност толкова неспособен, че никога, никога не беше преподавал.

СТРАХЪТ НА Г-Н ФОБ

Учител, който не учи никого? Що за глупост е това?

Моля, позволете да ви обясня. Г-н Фоб беше ДИРЕКТОР.

По много признаци той беше образцов учител със своите:

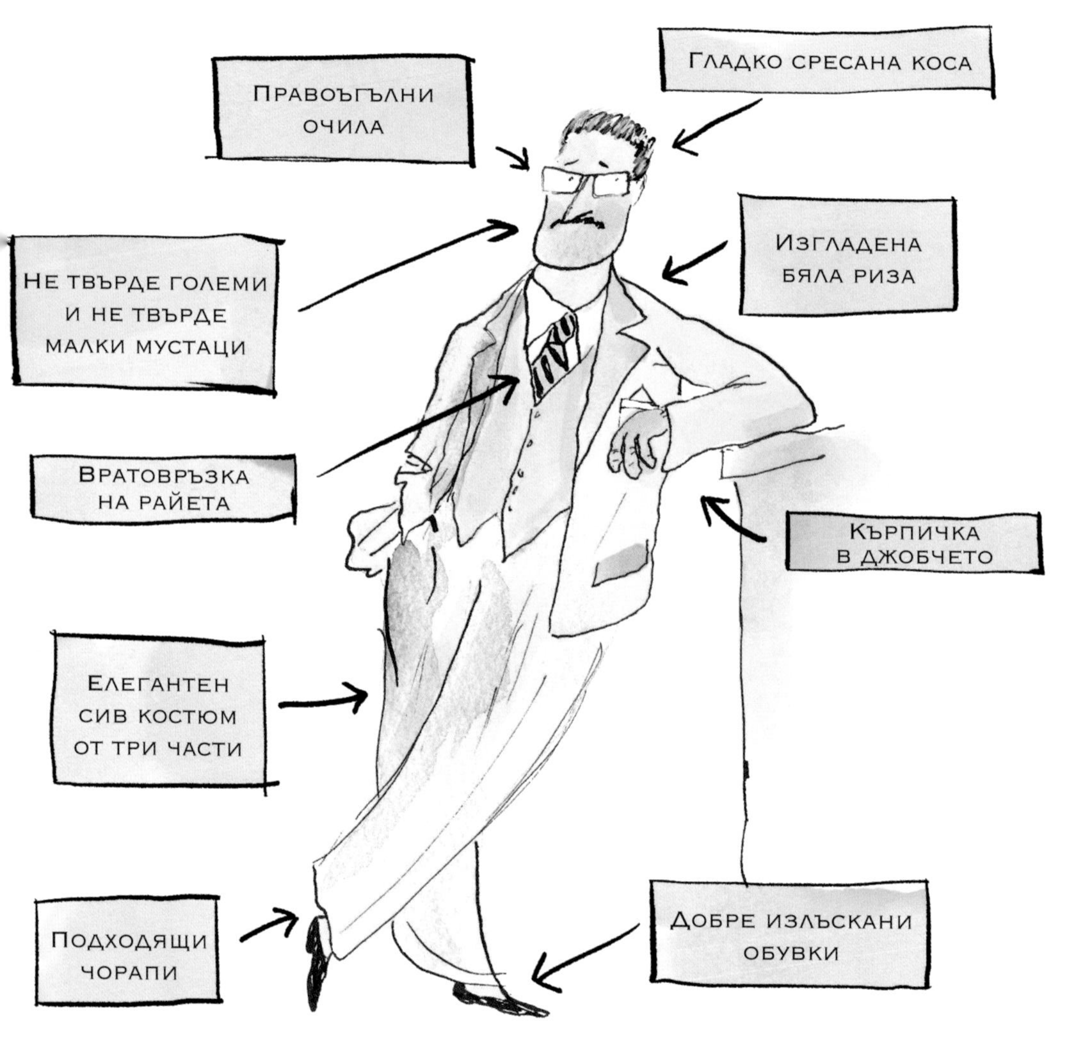

Само че г-н Фоб имаше един **страх.** Ужасен **страх,**

който караше...

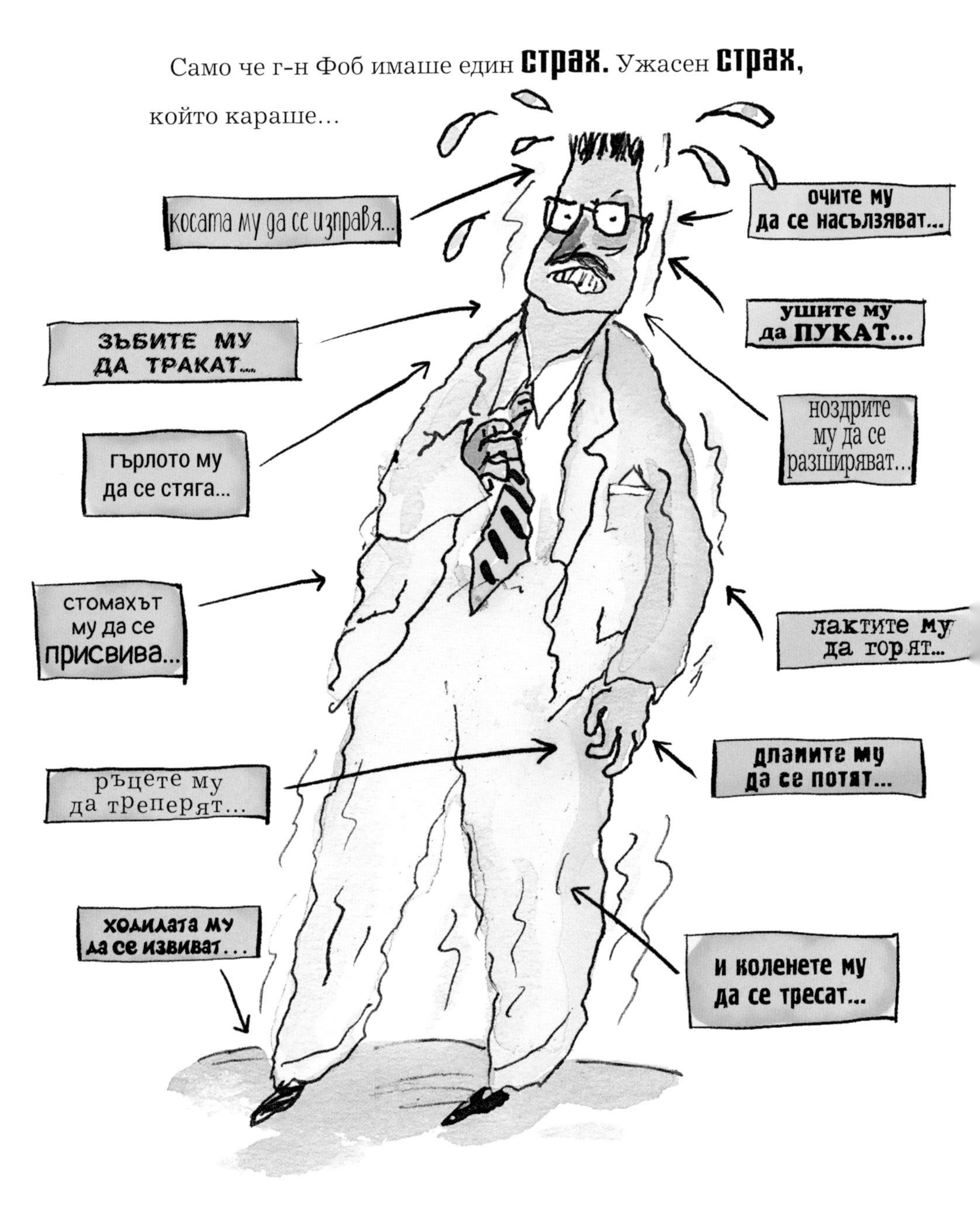

Този **страх** беше толкова огромен, че когато г-н Фоб се сблъскаше с него, **писъците** му огласяваха цялото училище.

— **АААХ!**

После тичаше да се скрие. Директорът имаше скривалища навсякъде из сградата:

Под бюрото си

В шкафчето на чистачите

Зад книгите на един рафт в **библиотеката**

Върху
катерушката

Във
витрината
за награди

В една **туба**

В коша за изгубени вещи
под куп миризливи
чорапи

Под престилката
на готвачката

Под купчина листа

В едно чекмедже

Г-н Фоб би направил абсолютно **всичко,** за да се скрие от това, което го **ужасяваше** най-много.

Е, от **какво** се страхуваше толкова той?

Ще ви кажа…

Правилно – директорът изпитваше ужасен **страх** от деца.

Деца точно като вас.

Но как беше възможно това? Учител, който се бои от деца? Та нали трябва да е обратното! Децата би трябвало да се страхуват от учителите!

Не и в този случай.

Моля, позволете да ви върна назад във времето, преди петдесет години, до деня, в който започва тази история.

Това беше първият ден на г-н Фоб като учител.

Той бе само на двадесет и една години, току-що излязъл от учителския колеж, готов да покори света. Г-н Фоб започна като заместващ учител, което значеше, че замества преподавател, който отсъства по болест*.

Той нямаше никаква представа, че още на първия си работен ден ще бъде изпратен в училището с най-невъзпитани деца в целия свят –

УЧИЛИЩЕ „ДЯВОЛСКА РАБОТА“ ЗА УЖАСНИ МОМЧЕТА

* Или, по-вероятно, е подлуден от учениците!

В това училище, ако можеше да се нарече така (беше по-скоро нещо като затвор за момчета, в който затворниците командват парада), учениците бяха **неуправляеми.** Имаше бой с храна в столовата през всяка обедна почивка…

ПЛЬОК!

постоянни сбивания в салона по физическо…

БИФФ! БАФФ! БУФФ!

експлозии в кабинета по човекът и природата…

БУУУУМ!

футболни мачове в класните стаи…

ЩУТ!

ПЛЯССС

боя, размацана из целия кабинет по рисуване…

топки мокра тоалетна хартия по тавана на тоалетната…

ШЛЯП!

гърмящ хевиметъл в кабинета по музика…

ДУМ! ДУМ! ДУМ!

състезания със скейтборд по коридорите…

ФИИУУ!

дебнещ в басейна

крокодил, взет „назаем“

от зоопарка…

ЩРАК!

подноси за храна, използвани като

шейни по стълбите… ДРЪН!

ДРЪН! ДРЪН!

готвачки, вързани за гредите

на футболните врати…

– ПОМОЩ!

Излишно е да споменаваме, че учителите не издържаха дълго в **ДЯВОЛСКА РАБОТА.** Средното време, за което се задържаха, беше два дни. Два дни бяха достатъчни да накарат всеки учител да си плюе на петите!

– КАКЪВ УЖАС! КАКЪВ УЖАС! – ридаеха те, докато бягаха.

Което не е за учудване.

Младият г-н Фоб нямаше никаква представа за ужасната репутация на **ДЯВОЛСКА РАБОТА.** След като се събуди сутринта и получи телефонното обаждане, той знаеше само, че ще замества някой си г-н Любезен – учител по история, който мистериозно „изчезнал" по време на едно от редките посещения на ученици от **ДЯВОЛСКА РАБОТА** в средновековен замък*.

В онази съдбоносна сутрин г-н Фоб се запъти с уверена стъпка към кабинета по история на **ДЯВОЛСКА РАБОТА.** Лъскавото ново куфарче се полюшваше в ръката му, беше пъхнал сгънатия си чадър под мишница и си тананикаше весела мелодийка.

– ДА-ДИ-ДА-ДИ-ДА...

* Г-н Любезен беше открит десет години по-късно в дрипи и с дълга бяла брада, заключен в тъмницата на замъка. Беше оцелял, хранейки се с хлебарки.

За това се беше подготвял през всичките години усърден труд в колежа. Г-н Фоб вече бе напълно квалифициран учител! Беше готов да променя съдби, да оформя млади умове, да бъде модел за подражание на **поколения деца.** Той пое дълбоко въздух, усмихна се широко и разтвори вратата на класната стая.

Горкият човек още не бе произнесъл и думичка, когато върху него се изсипа кофа с *яйчен крем.*

ДРЪЪННН!

ПЛЬОК!

Не само че беше покрит от глава до пети с гъста жълта **каша,** но и тридесет ужасии го сочеха и му се присмиваха.

– ХА! ХА! ХА!

Момчетата от **ДЯВОЛСКА РАБОТА** бяха стряскаща гледка. Сякаш бяха прекарали целия си живот в джунгла под грижите на стадо маймуни.

СТРАХЪТ НА Г-Н ФОБ

Имаше дълги и **немити** коси...

Дрипави панталони,
скъсани до
дължината на шорти...

Ожулени колене...

Изтъркани обувки...

Мърляви и скъсани ризи...

Вратовръзки, вързани на **челата**...

Напукани очила...

Изоставени блейзъри...

Насинени очи...

Липсващи зъби...

На горкия г-н Фоб му идеше да избухне в сълзи заради номера с яйчения крем, но реши, че е най-добре да НЕ реагира. Иначе щеше да даде на тези **ЧУДОВИЩА** точно каквото искат. Да видят най-новата си жертва да плаче. Или да крещи. Или направо да избяга от класната стая.

Затова г-н Фоб предпочете да не обърне никакво внимание на случилото се.

Запъти се към дъската...

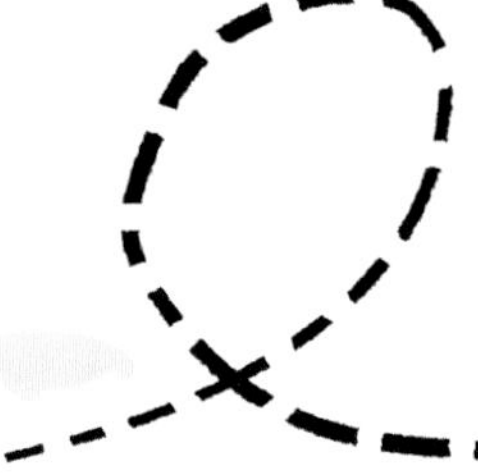

ЖВАК! ЖВАК! ЖВАК!

... и се обърна с лице към класа.

– Д-д-добро у-у-утро – започна той.

„НЕЕЕЕ!“ – помисли си.

Гласът му беше станал висок и треперлив, защото бе Н-Н-н-н-н-н-н-нервен.

Точно тогава през въздуха профуча едно бутало за отпушване на канали...

Ф И И У У !

... и го удари – **БАМM!** – по челото.

Ш Л Я П П !

Момчетата се олюляваха от смях:

– ХА! ХА! ХА!

Г-н Фоб отново избра да не обърне внимание. Новият учител продължи, сякаш за него беше напълно **нормално** да започва урока си, покрит с яйчен крем и с вакуумпомпа, залепена за челото. Той спокойно остави куфарчето си и взе парче тебешир.

Като забеляза, че дъската е покрита с най-грубите думи, известни на човечеството…

… бързо ги изтри. ТРЪК! ТРЪК! ТРЪК!

После учителят започна да пише името си на дъската.

Понеже беше толкова Н-Н-Н-Н-н-н-н-н-н-н-нервен, ръката му трепереше.

ПОЛЮШ! ТРЕПЕР! ПОКЛАЩ!

Тебеширът тропаше по дъската.

ТРОП! ТРАК! ТРИК!

Беше невъзможно да удържи ръката си стабилна.

Затова, вместо да напише „г-н Фоб", той всъщност надраска нещо съвсем различно: Г-ЖА ФОООООООО.

Щом г-н Фоб се обърна и разкри какво е изписал, грубияните отново зацвилиха от смях.

– ХА! ХА! ХА!

Незабавно последваха подвиквания:

– Добро утро, Г-ЖО ФООООООО! ХА! ХА! ХА!

Типично за децата, те намериха това за много забавно, защото им звучеше като пръцкане, а по някаква причина пръцкането винаги, винаги, винаги е смешно*.

Г-н Фоб съвсем не подозираше, че патилата му в лапите на момчетата от **ДЯВОЛСКА РАБОТА** тепърва започват.

– И така, д-д-д-днес ще з-з-з-з-заместваш г-г-г-господин л-л-л-л-л... – Н-н-н-н-н-н-н-н-н-н-н-н-н-н-н-н-н-н-ервността на учителя го надвиваше. Горкият човек едва говореше.

– Г-Н ЛАПНИЩАРАН? – предложи от задните чинове Мънго, най-устатият.

– ХА! ХА! ХА!

– Н-н-н-е, н-н-н-н-е, г-н...

– Г-Н ЛУКОВА ГЛАВА? – попита Дуби, следващият по устатост от задните чинове.

– ХА! ХА! ХА!

– Н-н-н-н-НЕ! Н-н-н-н-н-НЕ! Г-н...

– Г-Н ЛОШ ДЪХ? – обади се друг.

* За което съм благодарен, понеже съм изградил кариера с шеги за пръцкане.

– ХА! ХА! ХА!

– Н-Н-Н-Н-Н-Н-Н-Н-Н-Н-Н-Н-НЕ!

– Г-Н ЛОЯСАЛА СУПА?

– ХА! ХА! ХА!

– Н-Н-Н-Н-Н-Н-Н-Н-Н-Н-Н-Н-Н-Н-Н-Н-Н-НЕ!

– Г-Н ЛУДА ЖАБА?

– ХА! ХА! ХА!

Горкият г-н Фоб не можеше да търпи повече.

– Н-НЕЕ ЕЕЕЕЕЕЕЕЕЕЕЕЕЕЕЕЕЕЕЕЕЕ ЕЕЕЕЕЕЕЕЕЕЕЕЕЕЕЕЕЕЕЕ ЕЕЕЕЕЕЕЕЕЕЕ! – изпищя той.

Беше толкова **СИЛНО**, че стените се разклатиха.

Най-сетне. ТИШИНА се спусна в класната стая за пръв път от ГОДИНИ.

Тя НЕ трая дълго.

За един чудесен златен момент г-н Фоб повярва, че най-после е спечелил уважението им.

Колко грешеше.

– възкликна целият клас.

– Хайде сега, успокойте се! – нареди той.

По знак на Мънго **ужасиите** повториха точно репликата на новия си заместващ учител.

ХАЙДЕ СЕГА, УСПОКОЙТЕ СЕ! –

долетя хоровият отговор.

Учителят поклати глава и затвори очи.

– Това е просто глупаво.

ТОВА Е ПРОСТО ГЛУПАВО!

– Спрете да повтаряте всичко, което кажа!

СПРЕТЕ ДА ПОВТАРЯТЕ ВСИЧКО, КОЕТО КАЖА!

– ДОБРЕ! СТИГА! НАСЛУШАХ СЕ! ПИСНА МИ!

ДОБРЕ! СТИГА! НАСЛУШАХ СЕ! ПИСНА МИ!

Г-н Фоб не можеше да ги понася повече. Той затвори очи.

В мига, щом го направи, в лицето му **избухна** домат.

ФФИИУУ!

– ХА! ХА! ХА!

– Никой да не му казва, че съм го хвърлил аз! – изсъска някой.

– Няма проблем, Дуби – отговориха му.

– УФФ!

Г-н Фоб отвори очи и заговори бавно и тихо.

– Искам да ви кажа нещо, деца. Знам, че не е готино или престижно, но станах учител, защото ми се ще да направя света по-добър. Вие сте бъдещето. Ако успея да помогна поне на един от вас да постигне пълните си възможности, ще имам причина да съм горд от себе си.

Гласът му ставаше все по-силен, докато речта му набираше скорост.

– И така, хайде, деца, кой е с мен? Кой иска да разгърне пълния си потенциал? Кой иска да научи за… ИНДУСТРИАЛНАТА РЕВОЛЮЦИЯ?

Всички момчета скочиха на крака и избухнаха в аплодисменти. Те извикаха в един глас:

ДА!

В окото на учителя изби сълза от гордост.

БЕШЕ УСПЯЛ ДА ПОПРАВИ ТЕЗИ **ЗВЕРОВЕ!**

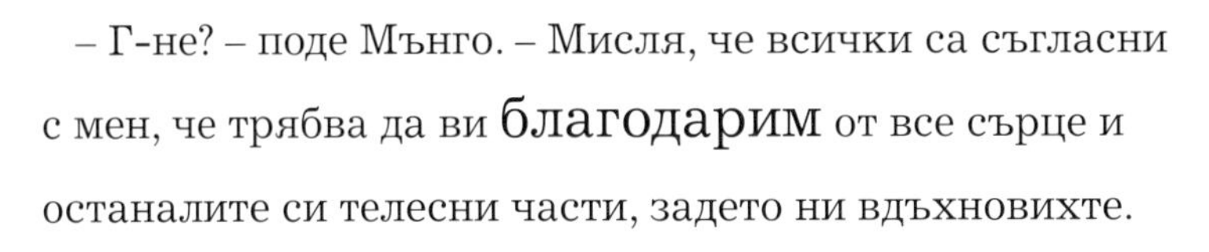

– Г-не? – поде Мънго. – Мисля, че всички са съгласни с мен, че трябва да ви **благодарим** от все сърце и останалите си телесни части, задето ни вдъхновихте.

– Удоволствието е изцяло мое! – отвърна дрезгаво г-н Фоб. – Да започнем урока по история! Да се запознаем с преминаването към нови производствени процеси между *1760* и *1840!* Да се учим! Да градим! ДЕЦА, ДА ВДИГНЕМ ЛЕТВАТА ВИСОКО!

ДА ГО НАПРАВИМ! – отговориха всички.

– Нямаме търпение да чуем за нарастващата роля на парната и водната енергия, за изобретяването на метало-обработващите машини и първите механизирани фабрики! – възкликна Мънго.

– ДА! – г-н Фоб удари с юмрук във въздуха.

– Само седнете, г-не, и можем да започнем!

Усмивката на Мънго се **плъзна** из класната стая, докато цъфна по лицата на всички момчета.

– ДЕЦА! ДА ЗАПОЧВАМЕ! – обяви г-н Фоб и се тръшна на стола си.

ДУФФ!

Моментално му се прииска да не го беше правил. **Чудовищата** бяха покрили седалката със стотици габърчета!*

БОЦ! БОЦ! БОЦ! БОЦ! БОЦ! БОЦ!

– АААААУУУУУ! – изпищя г-н Фоб. И вие щяхте да реагирате така, ако стотици габърчета ви убодат отзад.

– ХА! ХА! ХА!

В отчаяние учителят заподскача на един крак из класната стая.

ХИП! ХОП! ХИП! ХОПАЛА! ХОП!

Това не помогна.

Скачането на два крака също.

СКОК! СКОК! СКОК!

* Не опитвайте това у дома, в училище или където и да е. Никой не обича да му надупчат задника.

И дори премятане настрани.

ФФИИУУ!

Единственото, което постигна, беше само

да разсмее гадняриите още по-силно.

– ХА! ХА! ХА!

– ЧЕТИРИБУКВИЕТО МИ

СЯКАШ **ГОРИ!** – извика г-н Фоб

и хукна към вратата на класната стая.

Кракът му се заклещи в стара тенекиена кофа, но той продължи.

ДРЪНН! ДРАНН! ДРИНН!

– ВОДА! ВОДА! – закрещя той.

Докато бързаше по коридора, всички ужасии го последваха. Стиснал задните си части, г-н Фоб намери най-близката тоалетна. Той се втурна вътре и влезе в първата кабинка. Без да губи време, учителят вдигна седалката и **ПОТОПИ** задника си в тоалетната чиния.

– АААХХХ! – въздъхна, когато студената вода обля пламналите му бутове. ФССССС!

Г-н Фоб представляваше забележителна гледка. Беше покрит от глава до пети с яйчен крем, с размазан по лицето домат, вакуумпомпа за канали, залепнала на челото, и задни части, заклещени в тоалетна.

За нула време **малките свине** го настигнаха. Едно по едно гадните им личица цъфнаха покрай рамката на вратата.

– ХА! ХА! ХА! – смееха се те.

Мънго поклати глава и пое командването.

– ТИХО, МОМЧЕТА! – нареди той и те млъкнаха.

– Прекрасна реч, Г-жо Фооооооо.

– Благодаря – промърмори г-н Фоб, опитвайки се да не пада духом в унизителното положение, в което се бе оказал.

– Толкова съжалявам, че стана така, Г-жо Фооооооо. – продължи Мънго, опрял ръка на сърцето си, за да изглежда даже по-искрен, отколкото звучеше.

– Всичко е наред, ъм...? – започна учителят.

– Мънго.

– Мънго. Стават ЗЛОПОЛУКИ, предполагам – продължи той, преструвайки се, че не му пука.

– Но още на първия ви ден в **ДЯВОЛСКА РАБОТА?** Тц-тц-тц. Какъв лош късмет. Как е задникът ви, Г-ЖО Фооооооо.

– Боя се, че все още **ПЛАМТИ.** И се казвам г-н Фоб.

– Точно това казах, Г-ЖО Фооооо! – отговори Мънго и се подсмихна. – Може би ви трябва още студена вода.

– О, не, не мис…

– Нека да помогна, г-не!

С тези думи момчето посегна покрай учителя и натисна бутона за водата.

ЩРАК! ПЛИССС!

– НЕЕЕ! – провикна се г-н Фоб.

Горкият човек не можеше да направи нищо. Както бе приклещен дълбоко в тоалетната чиния, течението го засмука надолу.

ПУУУФФФ!

– ПОМОЩ! – изкрещя той.

Но беше твърде късно.

Г-н Фоб потъна в тоалетната.

ФШШШШШШ!

ВРЪТ!

БЪЛБУК! БЪЛБУК! БЪЛБУК!

– Сбогом, **Г-жо Фоооо!** – извикаха чудовищата.

– ХА! ХА! ХА!

Дуби с жестока усмивка извади таймер от джоба си.

– Г-н Фоб издържа само **четири** минути и седемнадесет секунди в училището!

– Това е **нов рекорд!** – възкликна Мънго. – Браво, момчета!

– УРРААА!

Междувременно г-н Фоб беше засмукан надолу през безкраен лабиринт от тръби и канали.

СМАЧ!

ИЗСТИС!

ПРОМЪК!

Най-накрая, все още с буталото за канали на главата си, той изскочи на въздух.

– ЕХАА!

Тогава осъзна невъзможното.

Нещата се бяха **ВЛОШИЛИ.**

При това **МНОГО.**

Намираше се в **пречиствателна** станция.

Учителят плуваше в басейн от вдигащо пара **аки!**

АХ, КАКВА СМРАД!

– **НЕЕЕЕЕЕЕЕЕЕЕЕЕЕЕЕЕЕЕЕЕЕЕЕЕЕЕ ЕЕЕЕЕЕЕЕЕЕЕЕЕЕЕЕЕЕЕЕЕЕЕЕЕЕЕ!** – викна той.

От този съдбоносен ден нататък г-н Фоб правеше всичко възможно да **ИЗБЯГВА** децата на всяка цена. Най-безопасният начин, мислеше си той, беше да стане директор. Тогава можеше да си седи в кабинета по цял ден, да подписва документи и да **НЕ** се среща с малките **ужасии.**

Малки **ужасии** също като вас.

Затова, ако някога видите г-н Фоб да се заключва в шкафче, да се напъхва в плет или трескаво да се заравя на футболното игрище, моля ви, спомнете си нещо.

Той не е виновен, че се **у-ужасява** от деца.

В крайна сметка нали веднъж го изхвърлиха в тоалетната.

ФЪШШШШШ!

КРАЙ